luan michetti

Isso. 'Natural' não, mas nascido na cidade de Ribeirão Preto, São Paulo, no ano de noventeoito. Vivo desde então e escrevendo-sobre. Precisa de emprego em caráter emergencial. Diz que desenha. Se diz tradutor. Bota aí, Luan, CPF [redatado], preto-ou-pardo, autoexilado no interior-paulista, como a Hilda, como o Nassar, como o Lima devia ter conseguido. Derramem essa pro Lima Barreto, o tenha. @michetti_r

LIDOCAÍNA SABOR LARANJA

luan michetti

editora Urutau
primeira edição
2022

O —

editora Urutau

rua do cajú, 478,
jardim das cerejeiras
06724-015
cotia-sp (brasil)

rua manuel pacheco nobre, 128 - 5º esquerdo
2830-080
barreiro (setúbal)
portugal

[+351] 928053619 [portugal]
[+55] 11 9 4859 2 426 [brasil]

www.editoraurutau.com.br
contato@editoraurutau.com.br

[EDITORES]
tiago fabris rendelli & wladimir vaz
[COORDENAÇÃO DE REVISÃO]
debora ribeiro rendelli
[REVISÃO]
juliana palermo
[DIAGRAMAÇÃO]
victor h. azevedo
[CAPA]
victor h. azevedo, sobre fotografia de apex

dados internacionais de catalogação na publicação (CIP) de acordo com ISBD

michetti, luan
M623l lidocaína sabor laranja / luan michetti. — cotia : urutau, 2022. 184 p. ; 14cm x 19,5cm.

ISBN 978-65-87076-52-2

1. literatura brasileira. 2. poesia. I. título.

CDD 869.1
2022-2813 CDU 821.134.3(81)-1

elaborado por odilio hilario moreira junior - CRB-8/9949

sumário

não ode I

Tamos como távamos, sentados de frente em uma das salas de estudos da biblioteca, discutindo de novo pela necessidade de dizer banalidades acadêmicas, decidir direto se o mundo é péssimo ou maravilha, destruído ou direito, tudo tão longe no sossego da tarde, tudo tão alheio, o mundo é bom, dizem, o mundo é horrível, diz, o mundo é nada e nós aqui, conversando-sobre, como se-fosse e se importasse, no fim o mundo que se foda, no que eu olho fundo nos seus olhos querendo realmente colher pistas do que pensa, lá fora as cabras e nosso amigo em comum que fuma e medita pra voltar aqui e fritar como devíamos, duas semanas atrasados nos textos espalhados nessa mesa bamba. Cê continua falando sobre o que fala, e não há nada que eu possa fazer sobre isso, comentário algum se somaria como afluente, espero só ouvindo, mas só se até que ele volte eu pudesse escavar algo das suas expressões, te encavalar de semiótica, pois eu queria atravessar pela névoa de coisas que saem dos seus lábios pra te encontrar no fim desses corredores de espelhos e fumaça retórica, queria mesmo era entrar por sua retina, dentro da sua visão e d'ocê num zoom de lente de documentário, flagrar nos limites da minha resolução as suas ideias lúdicas escorregando no tobogã das dobras do seu cérebro, porque sua língua continua bailando como sempre, genial e pontuado passo nas pegadas dos outros, xerox de margens sujas e anotadas, tanto que as estantes do andar de cima até rangem esperando o seu retorno, as paredes de tapume deveriam cair se conscientes, assim como todas as barreiras animadas contra o som da sua voz. E eu podia levantar a minha agora, a real é que eu podia me levantar agora, vazar, falar 'flw', expulsando o rouco pra calar o meu silêncio com o grito que explicaria tudo, realmente, acabar com o entrincheiramento que me esconde mãos-às-armas e tirar minhas peças brancas e pretas de dentro do tabuleiro-maletinha de mim, só pra perder no meu próprio jogo como sempre quis, como teria de ser, eu podia me revelar sem que precisasse comprar as perguntas alheias, sem dar mais um eco no seu discurso, já que nada que digo é mais novo depois que te conheci, já que escondidas tão as minhas verdadeiras indagações, que não têm forma, ágrafas, áfonas, nascendo da imagem que faço de mim descendo à frente sua, que fica parado. Eu descendo simultaneamente com a cintura da sua calça.

Não me ouve mas ri, tá rindo ainda no que fala, é tão clichê quanto cruel que eu não consiga nada além do meu próprio desperdício, que se foda, não precisava ser assim, na extensão do inacessível cruzo minhas pernas em contenção; de qualquer forma não será nada.

'O que cê tá olhando?'

Meto essa.

'E num pode não?'

Sorrindo. Rachando.

'Não.'

Ri.

cavalo

A mim, como os que invocam espíritos invocam, invoco:
Quietamente minto caindo mole no colo quente da keta
Andaria se pudesse andar ainda sem os joelhos na testa
Com a possibilidade de sonhos passando à parte de mim
Caí de encontro ao fundo fumo, fuligem fosca do meu peito
Sem rumo, a noite é leito, a noite é colo e eu me assento
Sem rumo, a noite é língua, a noite é linda e eu me lembro:
Que correndo casa afora, me casei c'o mundo por pressa
E agora? O que resta de rico num eu em que nada sobra?
Passado-presente, se os traumas me fizeram gente-pessoa
Futuro-arte desse destino distinto, movo as mil amarras em mim
Por quê? Ronronei rezas brandas, puxei meu banzo no charo
Esperei finalmente poder nunca mais esperar, assim, fumando
Mas o que sei com a modernidade e os jogos e as coisas afins
Serei grande como o mar? Será? Quedarei bravo e bom e justo?
Meu céu e a ancestralidade como cestos de fumaça trançada
Meu histórico e os pornôs e a policiada histeria dos meus anos
Pensei, passei a valer o peso dos meus estalos vivos de saliva?
Passo pêssego ainda na peneira-fina de seus finíssimos ideais?
O discurso, a última máscara, não há cura ou carimbo de visto
Não existe porra alguma de senda que se sare, mas nem devia
Não existe, embora sonhemos na sonolência da breja e da pinga

E quem ainda é imbecil a ponto de procurar um sentido na vida?
Se ao pó voltarás, à simples inconsciência dum sorriso sincero
Só bato o bullet, habemus, mais doses num celular de para-raio:
Coço meu dentro de mim, com completa aversão ao vício, amém
Levo um tapa sem dor, mosquito, 'olha só esse fóssil no seu braço'
Lobrigo a Lua com os pés, o mundo é todo um travesseiro da NASA
Em Mariana, mas se saísse desse táxi seria São Paulo, Av. Paulista
Só minha mortal moralidade, os contos que comprei como próprios
Eu como se viajando pros cantos só sendo visita, voltando à vista
Se sei o que ainda hei de ser, velejo pelos campos do meu corpo
Parado, rachando, a vida é o ar e as coisas que eu trago no nariz.

tombamento (op/mariana)

Como a matéria simples busca a matéria também simples da sua carne, mesmo rígida, entre-coxas, do seu corpo contra o meu, me conformo de alma, me anuvio de contatos, me conforto debulhado no seu ombro, desabrochados pra madrugada, e sem saber fazer palavras espero que entenda que te amo. Juro.

Vou chamar assim a nossa história: nossa história, como até já chamaram, e enquanto impede o teu peito quente que o vento se forme em estalactites nos nossos pulmões, o passado é a neurose; é lembrar. E nisso o tanto de merda até chegar aqui e te sentir como sempre tive por vontade, até desenvolver meu paladar matutino no amargo dos seus lábios, no suave aroma de mofo daquela perna-de-grilo que te passei, mal nascida a manhã, com a visão da chapeleta do seu pau pra fora da coberta, quando levantou pra buscar o isqueiro, como a fé, disse, surgindo em mim, pra acender a ponta do início do dia, a me desumbilicar de sonhos úmidos c'ocê. Te amei sob o rosáceo céu de Minas.

Sinto que te amo quando esse corpo que é meu encontra termo em seu toque, no jubileu de sentirmos juntos quando meu vazio serve de vaso pro seu gozo. Quase tão parados quanto a arquitetura. Percebi que te amava demais na falta de perfume nas minhas roupas, na ausência de amaciante na minha cama, só o uniforme aroma dos nossos cheiros, agora as cobertas e as coisas cheiram à gente, têm o cheiro de nós na face da noite só esperando que o tempo desista. Absolutos. Sagrados. Nas ondas do seu quadril por cima do meu. Completamente salvos das psicoses e do preconceito da sua família, da própria sociedade, se for, agora eternizados na mesma Tiradentes que o Vinícius de Moraes e as criancinhas.

Eu, apertando ocê e sua ereção avidamente a mim e à minha, te tendo no quente de seu abandono desordenado, te amo, e a ousadia disso estarrecida na rapidez dos carros passando na rua, a gente aportado no ponto de ônibus, sob a maldita e eterna sombra da escola de minas, esperando também, tão nublado o tempo que lembrei do quão longo foi, quanta noia, quanto tesão existiu e ainda existe, mesmo modificando, modificados, agora que sei e sinto no volume e nesse quase úmido em seu jeans apertado que me ama de volta, de alguma maneira profunda, no público do nosso abraço. Nunca mais contando o quanto falta pras seis.

não ode II

Queimar era um prazer, mas antes de tudo queria que soubesse que não fumo, apesar de ter pego dos dedos seus & tragado ar até a última gaveta do pulmão, aquele dia, naquelas tardes, tentando disfarçar o fogo da sua presença com calor na minha garganta seca, soltando só não fumaça tossida, na paula, paulista, disseram, sou sim, é o único jeito que sei, assustar o de dentro de mim em suspiro avesso. Traguei, suguei de súbito tudo que se ofereceu a mim em nós de mãos & membros à onda lenta que revolvia horária por seu lado da roda, toda ela, sabores de fachos-corpos em chama, o fim da planta é o vapor a espiralar nas entranhas como o carvão de madeira velha que crepita em fiapos fartos de labareda & nos reaquece nessa fogueira, é o ciclo de morte, o fumo é o contorno de terra-viva que rastassaia pelo espaço. Sei lá, porra.

Pô, é uma pena que minha parca paixão não me inspire pio ou pequeno poema, só espero que entenda, meço a plena cena que furto do canto d'ocê de sujos lábios de cerveja & de sumo de churrasco, foi ontem? Hoje não, nem vem, & passo o beck vibrando como quartzo no encontro elétrico polegar-indicador, cadência de cinzas ao chão, o vômito quase me chega, poeira de outonais folhagens no meu tênis, meu, fico é picudo com a quantidade de rolê bom que tão fazendo esses dias, música pra caralho, texto pra caralho, fossa tropical, quê? Sabe? Sentido de/pra quê/quem?

No fim tudo isso é muito, roo a unha, assisto ao crepitar da carne, razoavelmente louco, meio rouco, raro é que em nome de Deus peço que me esqueçam um pouco no que te olho de esguelho, & pois é, pois é, mestrinho, pois trago mais, espirro ao contrário as partículas da sua saliva celulosamente regada, te trago como verdade, comigo tod'el manto terrestre bordado, te trago em vontade nos meus pulmões secretantes & vacilantes & mesmo antes que te conhecesse já precisava, neles sangra a cafeína que nunca voltará pras minhas veias, tusso, em mim a modernidade como em um apartamento vazio. Sei, sei.

Pelo amor, pelo amor do nome que deram pra deus é que eu peço pessoalmente pra que me entenda, & é preciso, eu preciso muito, & contigo talvez já tenha dito, sem energia, & me alongo, mas queria ser tua, cara, ser posse, ser pose, ser ceia & sinhá, à contranatureza ser feito Julieta, ao mal propósito do prazer, que só pertence a ti, porque lágrimas me regam as bochechas das coxas pensando na sua foda ruim & nas femininas frustrações. Nem é por má vaidade, toxicidade máscula, alérgico à neblina de histeria esotérica, que meio ouvindo Ben Jor & estática, extasiado pela chance que contra a minha razão se mostra, é que me eximo responsabilidade de mui asmática perseguição, mas, transcendendo em indagações, que translúcidas imagens sonoras transpassam através de suas orelhas? Que escondem as fibras chino-industrializadas das malhas usadas no fabrico do seu boné da CUT? Que sabor de solipsismo n'ocê, às noites, nos dias, tem seu cérebro tocado pelo THC? A ponta que me passa & queima as dos meus dedos, posso jurar que tento negar, já nego em potência manequim, & seus olhos tão vermelhos quanto meu membro, estranho & anatômico o seu rosto tão cruelmente belo, não senão a fecundidade do mundo, não espero nada, não quero, no que lembro, agora, o que pensava quando me olhava sedento dentro do snooker? É lícito? É válido? É bom?

Se sempre sonhei com essa noite fria em sensações mistas de cinema, & espero que sinta, é que a estética alemã que sóbrio consumi mais o seu mas-e-as-pretensões-literárias-tuas, que pergunta, eu nunca, à merda, no passado sim, na sala faminto por sumir de dentro pra fora como a umidade de carcaças ao sol, como espírito de moribundo expulso a cada tosse, raios catódicos & o controle remoto de condão, olhando um diário-cadeado vazio pensando no paradoxo de entregar minhas chaves & o clichê & o ridículo, a ser mais nas linhas de grafite, cinza contorno de montanhas de má caligrafia, mas hoje nunca, sem maiores sonhos, só me deitaria na BR por menos um centímetro do seu short; te deito falação, te fito, a lua alta & nossos pais já dormindo nas linhas de ferro do país enquanto se simplifica pra dormir o complexo industrial, quartos separados & a assexualidade familiar, herdo, expando & reconheço a força & o desespero de estarmos envoltos em solo sagrado, sionismo é o nome do som-de-assunto que produzem nesse instante de climão no breu de parca-música, ciganeio polissílabos, não lembro por que, mas venço e me calo alto, animal-retórico, boquejam porque odeio minha aparência, me deixa, meu barroso vaso-de-vida que se desperdiça no desconjuramento, me acho feio, digo, indigno, é isso, mas é sempre mas-o-quê, fazer de injúria, de não-julgue-pela-capa, eles & cê também, de é-tão-belo-por-dentro, de que mas-vai-achar-alguém, de nossa-mas-eu-te-acho, mais militâncias, mas é apologia sem crime, é aforismo de bar dizer há--algo-dentro além do trabalho da tanatopraxia, o brilho noturno é tão o negativo do hélio quanto o do dia, a fundo sabemos, fico fulo com essa merdaria metafísica, quero outras metáforas, no fim unos como Negro & Solimões são mediunidade & esquizofrenia & o que importa mesmo são pele & pelos, soltaria fodenda referência a Camus, algo sobre o suicídio, escuto o-que-importa-tá-dentro de novo, relevo ainda rindo, não surpreso, já sabia, tenho uma queda por simplórios, ouço com ranço o seu não-quero-superficialidades & gateio torto pra cozinha, perguntaria, mais superfície que achar conhecer, a si & aos outros, mais que tentar sair da noz-do-eu pra terra dum nós que começa era-uma-vez, mais que emular um tango de almas no contato de suores, & se fosse profundo, & se não mentisse, & se se libertasse, se a si transcendesse, eu não te seria impossível por não ter peitos, pinta, acessórios, cheirinho de fruta, não seria piada nem teria esse receio fundado no ridículo, não tinha raspado os pelos em esperança andrógina, talvez pr'ocê profundidade seja mais um apelido pra buceta. Isso te data demais. Sim, sei, tô sabendo, mas eu não quero.

Eu, suando gelado, impressionado com a destreza ilusionista com que, coqueluche-xamânico, dichava & bola sobre as coxas, lambe seda de olhos fechados e chiclete mentolado, mais a menta misturada no chá, que espero abrasar o fogo fátuo que me envereda por dentro, serpente que engulo branca, seu sorriso pra sempre polaroide marcado como tatuagem tribal nas entranhas de pele-de-porco da minha memória. Peraí, porra, peraí, volta, me lembra de falar isso amanhã, só me lembra, vou falar & te atropelar no, abraspas, as-aparências-não-importam, ponto-com-ponto-bê-erre, fechaspas, & mostrar que sim, cê vai ver, só que a sério, *l'amore è un pretesto*, assim como o sexo, Pasolini sabia, assim é o resto, como sei, importa é o Belo com o B maiúsculo na forma do seu lábio superior, lábios hoje melhores fechados, mas és tão arte quanto matar Marat, és tão como os fetiches de Farnese, o cardeal, tão como os coetâneos escritores de talento, que não encontrei & ainda aguardo, apodreço no aguardo, & que não encontrarei, extensões esfumaçadas do que esperava de mim, mas não vou ser, porque sei olhando o isqueiro iluminar seu rosto como vela de aniversário, parabéns, atraiçoei todos os ideais que nunca tive, & lembro que me racham porque me acho melhor que os outros, é verdade & é verdade, que o cruzeiro caia se o universo tenha algum dia me provado o contra, minha máxima religião é essa, moleque, gostar de homem foi minha ruína, vai se foder, *gott ist tot* mas me presenteia em punheto-poesia, & quando bacante, enquanto memória coletiva cê não vai ser nem mesmo meu muso, mas me visitarão nos próximos séculos se existirem mais séculos a serem, passando os dedos nas pedras lascadas, beijando os pés da minha imagem de barro como eu beijaria os seus agora brincando no chinelo, perplexos peregrinantes-paladinos proletários imaginariam a eles mesmos imaginando como eu era quando intacto, eu, somente eu, com minha ereção como um rabo entre as pernas, eu, quando vestal sombrio da própria candela, escute só, Pilatos, não sei amanhã, acho que já deu, mas talvez o meu de-dentro seja esse, cê ainda vai ter essa cadeira obrigatória no seu curso de merda, História-de-cu-é-rola, eu tenho as condições de produção da Verdade escorrendo no guardanapo em que limpei a boca, meu futuro por um sim, minh'alma por uma foto sua, saideira desses ares de sauna ao ar livre, saem então saio, desenterro minhas raízes fortes & rígidas dessa terra úmida & preparo caminho pelo centro histórico, não tinha o costume de fumar, foi exceção, mas é familiar, é bom, não sei se foi a azia ou o incêndio no Itacolomi, mas não tusso mais, rapidão assim, criado o costume, antes de tudo meu prazer número um é queimar.

ascendendo ao regresso

Há a chance
de que eu me foda aqui e me falhe em queda
e em calçadassuja espanque o solo que espera
fodendo a filha-da-puta consciência
qual sumo de sarjeta mora a paciência
no que dedilha o chão minha costela

Há a projeção
de que atrás das lentes, creio, me olha
mas às vezes invento e peço perdão
te lembrei numa festa que eu tava
que acabei gorfando no golfo da porta
tão perto eu tava que queria ir na chòra
miando melado no passeio lá fora
da madrugada ao dia por colchão
a encaixar a coluna na grade de aço
observar isento o trânsito do tráfico
bêbado olhando o motor do portão
e o são gosto de álcool e fracasso

Há a vontade
e à vontade finjo uma volátil pilhéria
espasmo de tesão versus tédio eu tivera

subsistência, fome, miséria, diz ela
na mente calada
na manhã velada
que te olhei sentado
e passei do lado
e abanei a mão
talvez seu nome
abalada razão &
postergada vazão
e sorrindo com outros senti
te enxuguei seco na flanelinha
dos meus olhos molhados
e é só por um quase que não grito
um triz e minha voz te cisca lambendo
pelo gozo afluente barrado em dique [saca?]
úmido que se seca virilha adentro
pelo rosto e pelos da barba rala sua
por qualquer imagem que fique

Há a impossibilidade
mas eu queria poder, saliento
dizer que posso e que quero e aguento
te conquistar de sequestro
no RU sentado comendo
empurrando a bike no punho
no alto do luau bêbado como eu
eu sem coragem na estrada
eu engolindo a alegria na sua cara
eu engolindo o vinho dizendo nada

eu na sua, na rua, caído, atado
eu sem te ver subindo a escada
eu & as piadas dos amigos que sabem
eu & o rejeito que criei pra mim
cansado de ter fome
cansado do sono
cansado do período
cansado do morro que tenho que subir
cansado de não conseguir fazer nada
cansado de me sentir cansado e sorrir
cansado da semana desgraçada
indo e voltando de Viçosa
apreciando o fim na paisagem que vi
o cansaço de mim é culpado de sofrer
que te pintou assim, dourado e rosa
sentado na cozinha ouvindo Brenda Lee
meu cansaço que me deixa calado aqui
arranhando o vazio que me consome em prosa
e reaparece como vapor de utopia
e some comigo nas tardias ânsias
nas anciãs reflexões em que sinto
sinto de novo o não
queria ter coragem
poética assim eu
pediria

Há a narrativa
não te mereço
assim como cê é

não te mereço e fim
e tu também não merece
que não te mereçamos
meritocraticamente impedido
grito: ideologia de merda
foda-se se eu mudo a perspectiva
o subir do Rosário me lembra
que eu só sei ascender ao regresso
sempre existi em ampla concorrência
depois do vômito devia te ter visitado
com o peito melado, com cerveja, iria
republicana vergonha no pórtico faria
na minha democraticidade de ira
porque derrota compartilhada é vanilla
aqui no redondo espero que venha e veja
só são lúdicos sonhos de Adão e Eva
e vou indo, mais que vil, muito mais, Ivo
do seu calcâneo invés da costela
amigo de amigo e a lógica escusa
e lembrei do dia que te conhecia
na biblioteca tolhendo sua leitura
tremo temendo mais uma vez no dia
sinto a tensão e a dor na escápula
mais uma vez devo ir embora
de dor é que o tesão me escapa
é até possível que eu caia agora
que seja asma ou taquicardia
valeria o dobro na altura da sua sola
no couro forte e fértil da terra

desse chão barroco que escora
lembro daquele dia em que eram
suas mãos & as peças de xadrez
seus dedos no beck que recusei
seu sono no quarto e eu na sala
bebendo a pouca pinga na garrafa
meu ir e voltar da luta que não tive
era fácil nessa época de antes
facilíssimo ficar vivendo agora
num passado meio-inventado
um passeio ruim: era mais simples
melhor do que o que sua visão provoca
melhor que a queda que evito sentando
melhor que a cãibra de te olhar pelo ombro
melhor que seus amigos saberem
que os desconhecidos saberem
todos menos cê que ignora
tudo menos o rosto que lembro
já não sei se o seu agora
embora ainda um pouco
e pronto, e não é que caí
quase pedi socorro
caí aqui no cimento
e alguém que
me socorreu
me perdoa
e tudo mais
e pronto
só me enoja todo o desespero

emulação pura num deitado delírio
uma berradeira do caralho, no fim até grito
pra que almoçaria hoje passando o dia fora
perguntam demais, com silêncio insisto só
me alimentei das ilusões que tinha à tarde
por uma humilhação a mais que resisto
revolvendo no nada em tentativa sequela
metem a mão no meu pulso e medem
metem o dedo sujo na minha guela
quero sair e rastejo pra esquerda
a esquerda que é tua mais que é minha
a esquerda dos amigos que já fiz e perdi
a esquerda que me tirou do seio da família
a esquerda das coisas sem nome que vi
à esquerda de Deus está a saída da igreja
ideologia é o dildo em que eu sento toda a vida
te perdi quando desdenhei de sua ida a Brasília
será que mudou alguma coisa
parece que emagreceu um pouco
e emagreceu mesmo
emagrecemos todos
só que mais ocê
não queria ter estado certo
não queria mais estar alerta
do que é que vai mudar o quê
sofrer mudando nada
sofrer morando perto
queria apenas a pertença
queria ser amado, mestre

queria ser fodido & chupado
queria ser a porra do teu pão
te preparar comida, lavar suas roupas
te cuidar em troca de uma transa mixa
goze tu e nem me olhe, meu bem
não, só te chamaria de meu caro
de meu companheiro, parça
goze ocê sozinho em mim
onde cabem tantas coisas
atropelando os traços
trôpegos e enlaçados
já gozo no vibrar extremo
das minhas doenças
já gozo às sextas feiras
no meu dia da máquina, da Gatx e do lixo
ideologia é essa virgindade que guardei à toa
desculpa, queria te falar, mas não devia
já fiz isso antes, só que em êxtase
xerox da cópia do transcrito, disseram
fac-símile, sofrência e dó
contudo te espero minúsculo
entre tua mão e a coxa dela
na esperança parca de que
podiam amaciar essas macas
só quero flores vermelhas no meu caixão
funk, escracho, piadas e pãozinho de festa
rock pagão depois dos três dias de samba
queimem essa porra toda
cinzas pelo Dutra em que cresci

e que nem mais me espera
cinzas na velha casa-de-piscina
sangrem pra rituais, doem pra medicina
ameaço assombrar mas espero que venha
espero que traga Cristo consigo como em seu nome
e que carregue forte essa bixa no colo
como eu queria que me tivesse, glória, amém
espero que te contem, espero que se lembrem
espero que cê rache o bico dessa merda toda
ninguém tem culpa de nada
ninguém responsa o que cativa
aí todo mundo vira bosta de vaca
nos estômagos inchados e estourando
se abrindo em flor como a buceta da terra
quero instalação artística de santinhos anais
quero *stand-up comedy* no carro dos meus pais
caixão aberto até ver dos lábios azuis um escárnio
amor fati!
ei! retorna!
vem, caralho!
eu quero é ver de perto essa porra de retorno
nos cheirando e abanando o rabo
quero ver é retornar
intimo a repetição
do seco no sujo
íntima a indagação
do pixo no muro
da última solução do
segundo de estrela

escalavrando a rotina
do olho da bunda
vou fazer de novo
vou fazer pior
i
de
o
lo
gia
só peço que riam no final
porque eu vibro pros tais
nascendo nos leques da saia da noite
na convulsão e riso de desfibrilador
deve ser um porre ser da área da saúde
zeladorzinhos da orexia dos vermes
pergunto muito aos orixás por que
poucos pensam nisso aqui no ICHS

autopoiese das psicopatologias próprias dos homens possuintes de pinto

nessa fantasia,
diz ao médico,
o seu maior prazer é abraçar e se apertar contra a parede com um homem da classe operária
e [...] apesar de sua falha estética [...] aprecia o coito com prostitutas
ele visita regularmente bordéis pra se curar do onanismo
[em casa o Senhor von Cis mantinha relações com os criados]

e eis que ah, eis que sim
sôfregos, suspirando pelas eras

não ode III

Tal pulguedo irromperam em mim a esperança, a paixão e o desafio nos desfiares das manhãs, não sou Pasolini como queria, embora face a face com o fascismo, tropeço o pórtico, não peço explicações, não vejo respostas, o sol não é nem sinal ainda, o dia só é o céu nublado cobrindo como neve as árvores e a silhueta da igreja, aos poucos se acorda a cidade enquanto confiro no estúpido silêncio a saúde de todos, tá bom, tudo bem, sobrevivos, voltemos os rabos pra casa, a noite me revelou minha beleza por epifania. Não sou Ginsberg também, embora pareça, apesar de ter tentado, com os melhores dentre os meus embotados pelos sons e os sonhos vibrantes, entre os chamegos e as chances, de gota, de pó, chilling out, Netflix sepá, nos deleites do delírio dessa madruga mais que real, retinas como rodovias interestaduais, rotineiras, abertas como chacras pro show do mundo, pra esse rock bem careta e bem-vindo, peles como ventos e dunas, como a sede e o suor, como tão sagrados são pais e filhos, são grelos e paus, como a morte sobre a vida, como a vida sobre a sorte, como o tesão, como comer, como qualquer outra comparação ridícula.

No meio do rolê nos imagino num filme francês como tantos que vi, um quarto, uma pós-transa, numa vontadona de acender os seus cigarros e tragar sua presença em cheiro pra dentro de mim. Sonhei toda a cena. Minha pressão despencada, agarrada naquela coceira no fundo do peito que o tabaco dá, náufraga me sugando pro fundo da cama, comigo marinheiro maldito sob a maresia das cobertas, vendo na superfície, pelo fumê das ondas, suas costas, todo o continente do seu corpo idealizado justamente como é, músculos como serras, um farol fálico, o porto seguro que eu nunca teria. Foi triste pensar que seria bom se sobrassem cigarros, que inclusive eu comprasse mais maços, bolasse todo meu chá, já ligasse pedindo outra vinte-e-cinco, porque também vi muitos filmes americanos e pra minha paranoia a porta pra rua seria a ponte pro fim. E eu nem criança ia ter pra criar sozinho, pra ver nela seu rosto com o meu, pra mentir pel'ocê, pra compartilhar sua ausência.

Pensei sobre isso no snooker um dia com um amigo, com o mesmo povo em volta, alheio, as mesmas tensões latentes, os mesmos caminhoneiros. Eu sou da Prainha, um cara nos disse, me identifiquei c'ocês, justificou, sendo nós as únicas duas bixas bixa-mesmo no bar aquele dia, identificadas, só conversando alto quando vimos que ele nos via e veio, com toda essa puta-identificação, com medo até, agachado com o tesão e o braço na minha coxa, sem saber que mais falar, só esperando que fôssemos. E a gente ficou rachando triste do quão foda deve ser pra ele viver assim e flertar assim e se sujeitar desse jeito, se encobrir, ficar nessa gastação, humildemente marica da Prainha. Pra logo depois a gente lembrar do quão fácil se cruza dentro do armário, dos tantos de nós que nos deixamos levar, o tanto de cu, o tanto de putaria nos becos, nos bares até, e eu me pegar lembrando d'ocê e te imaginar falando comigo mais uma vez nesses mesmos códigos.

Ainda sinto o vazio no estômago e o ranço de conhaque me lançando snooker abaixo, sem grana, sem perspectiva de transa, com a garoa fina na minha lã, e embora rebolássemos, embora cantássemos sopranos pelas cortinas-de-palco da noite, não houve santos motociclistas a nos foder de dentro pra fora, não houve Adônis, nem jazzband, nem Denver, nem Harlem, nem Kansas, nem caralho algum no caralho do mundo que me salvasse do solitário barulho dos gatos nas grades das casas, dos novos finais felizes nos filmes de viados e o amargo pesado dum café coado batendo e furando o endurecido vazio no meu estômago. Uma puta odisseia sem tear, sem pódio de chegada, eu e meus Ulisses nos banquetes da noite. Eu sem disfarce, sem fachada, sem posteridade, poema, postal, hombridade, com barbas na cansada musa Esperança enquanto eles fodem. Simples, fodem. Voltaria pra casa se pudesse, pedi ao deus do mar de Minas todo perdão possível e me fiz de barco pelos arroios de pedra e asfalto, se não fosse pior vazar, dos rolês, do curso, das coisas, pra me soterrar, pra assistir *Brokeback Mountain* em preto e branco e choramingar de novo que não é minha culpa, não é, e desassumir pra família, desdesconstruir, desconquistar meu espaço pra desfrutar a tranquilidade quase patética e profunda de ter toda essa realidade afagando minhas costas, no confortável seio das tradições, nas tetas fartas de não ter que pensar fora do umbigo. Castelos, churrasqueiras, domingos de futebol, parceiros, palmeiras e abacaxis. Aí eu teria crianças, como cê vai ter, espero, pra ser recompensado por nada em banheiros públicos e vestiários. Pra ir num snooker depois e me ajoelhar na frente de duas bixas falando merda, identificado, descoberto, sem entender mais nada e ainda assim querendo, pra ser como os caras cheirados roçando barrigas que vi na última vez que nos vimos na rua, real felizes na noia do pó, com o loló ritmando o barulho das fivelas. Dava pra romantizar esse rolê boiadeiro, gastar a onda da breja nesses duplos sentidos e me fingir de idiota, me sujeitar também, descontextualizar os bambolês dourados coroando como lembranças distantes os toques das peles calejadas nas minhas pernas peludas. Sagrada mão na sagrada bunda num sagrado bar, como a alma e os pássaros e as virgens, sagrados pais de sagradas e santas famílias. Amém. Sagradas malas marcadas nos jeans. Sagrado meu tesão por trás de toda a preguiça da sagrada e insossa fodida beleza dos machos de esquerda, no sagrado e tolerado discurso militante do aceito-mas-eu-nem-sou, mas ser, sendo mesmo muito moderno ter tesão em mulheres e em joguinhos. Só eu vi seu corpo patolando as sílabas tônicas nas conversas mais banais? Pra depois dos anos se assumir pelo-menos-bi sem plateia, me lembrando um pouco tarde demais que eu não tava louco, que não era só abraço, não era só oi, não era só eu fritando sozinho. Pra eu perder o único prazer que ainda tenho que é o de te malhar no tribunal popular das bixas assumidas. Pra ter uma galera depois surgindo do-nada pra falar que já sabia, justo os antigos catedráticos da antiquíssima Academia Brasileira do Logo-ele, dos discos-riscados em nada-a-ver, dos discursos-de-posse em nó-mó-hétero-esse-boy, quando fui confirmar no VOLP do macho discreto, no pokédex do enruslingo, se suas gírias e truques são reais, se já foram registrados, ou se caguei de novo no maiô da sanidade. Alguém tem que pagar as horas que a minha terapeuta gasta pra tentar me convencer de que eu não vou sair de lá com um diagnóstico de esquizofrenia. Não querendo perceber o quão estranho cê trata mulheres, vish, pesei, o quanto em comum seu machismo tem com o meu da quinta série. Não me deram todo esse tempo pra pirar de negação, pra ser um puta dum otário, plenamente homem e os privilégios e o caralho, não pude brincar de ser comum de dia, não saí soturno e sozinho pra cruzar a noite, tirando com a cara do baitola que arrepiou de sentir o vento aveludado do seu sopro, nasci velho, tive primeiro tesão em mim e me fodi, descobri logo que Denver é longe pra porra de Minas.

Tal pulguedo saltei sem noção das horas, desabrochando veranil, por mil e muitos músculos-máquina, sorviam mojitos como cachos-de-uva na minha boca, sempre cerveja também, num circo, eu bixa-afetada-palhaça-de-circo, eu pão e princípio e forte presença, meu quadril circulado de olhares, e sua ausência de novo presumia que estivesse fechado às portas do travesseiro, pescoço em bondage por cabelos de mulher, das várias, quase compondo aquele quadro dos índios com os pés na areia, quase como xilogravuras do sertão, como um homem de mármore de tão natural, de tão bem construído, de tão ideia-pronta, desfrutando uma mentira com enxovais pré-garantidos.

Ao te ver entrar no rock entendi o clímax de Lavoura Arcaica no flutuar das minhas coxas, esse inacessível sema, como se solos e sinceros e sôfregos ficássemos sozinhos nas serras mineiras.

É com essa cara que cê goza nelas? Nojão d'ocê. Comerei na Lafayette minha vergonha com Coca, café e leite quente, pedirei perdão a todas as minas que conheço, emascularei pra melhor minha vida e beberei sozinho a angústia de ser tão suscetível à conversinha de macho merda. Aí o mesmo rolê, de ficar oprimido nessa caralha, ficar fritando, ficar refletindo, nem conversando direito, nem estando ali real pra galera, enquanto todos em milk and honey and Rupi Kaur, Mineirinho-morto-em-nós-sentido, desabafando, esvaziando umas boas dumas garrafas de Brahma, sexualmente ativos, rachando levemente no quanto ela é boa com ou sem a militância e eu tendo que ser fisgado do limbo de olhar pr'ocê jogando sinuca do outro lado do snooker pra falar que não acho, não acho porquê. Ruim pra caralho, ela, isso tudo, eu. E me elogiarem, ficarem, meu, olha seu cabelo, seus olhos, exótico & belo & cruel, de um certo urbanismo selvagem, com esse r retroflexo e essas roupas. Disseram algo sobre se perder muito na tradução, aí concordei, mas tava pensando em outro par linguístico, em outras línguas inacessíveis. Nunca seremos equivalentes, profetizo. Nunca vou chegar perto de entender real, mas entenderam por mim e tocaram meus cachos, escorreram por meu couro como ideologia, Mestre, cê é tão imensamente lindo quanto a São Paulo dos anos trinta, disseram, rimos, chorei, me despi do peso do mundo encavalado nas minhas costas por horas.

Mas já em casa, desistindo de tudo, fiquei acordado pra fazer café, os gatos, as grades, sozinho com as merdas dos mesmos filmes, a mesma vontade, os mesmos pornôs e angústias alugadas da puberdade. Imaginando qual é a letra dessa sigla pra fodidos--sexualmente-da-cabeça quando seu rosto ainda é o único que imagino quando lacrimejo com o pau.

Porque na manhã seguinte sentado no redondo te vi, nos vimos, e rastejantes se foram as possibilidades e os significados, viado, tô te vendo me ver, não se faça de pêssega comigo aqui de ressaca, na maior moral estudando gramática, tomando leite-fermentado, comi na padoca minha virtude com mussarela cara, me encare ou me cancele, só não me fode assim. Mas os glances que sempre percebi apesar das drogas e mais os lances de sorte que dei nos porquês dos seus dedos em continência irônica, quando acho que saquei e te peguei nos rastros, aí não sei mais, não entendo nada, enjoei há tempos dessa surra de vontades, esses wild eyes. Peço, deitado de tontura, peço olhando meu décimo autodiagnóstico forjado, arrumando o hibisco no cabelo: que Deus me defenda de querer pessoas que não sabem o que querem. Pronto de simples. Simples.

E logo ser seduzido pela impressão de seus olhos sempre mamando em mim, me sugando como pulgas, doendo só depois, e nem meus mergulhos no álcool, nem meu olhar clínico no espelho, nem a troca de lençóis, nem loratadina, nem vinagre ou vingança ou verdade, nem se me ateasse um fogo diferente do que tenho e sinto queimar, nem que minha autossabotagem se transformasse em vergonha na minha cara, nem beijando outros com a fome que senti e beijei, nem nada elimina a coceira que as suas picadas deixaram. Ainda é pouco explicar assim. Ainda não peço muita coisa, só a sua imagem e a dum celular, refletidos nus no espelho, um banheiro sujo de frame e de fundo. Pediria coragem e seus pés e pau e que pudesse perceber o quão injusto foi não saber do paraíso que te esperava gratuito, do mito edênico que te carregaria velejante às costas inexploradas de toda a brasilidade dos meus sentimentos, toda essa falsidade, toda essa fantasia de bombeiro. Que percebesse o quão merda cê é. Somos. O quão patéticos. O quão bixas. O quão comuns.

Enquanto o céu ultrapassa qualquer pintura de Vermeer nessa mais-uma-das-muitas-vezes que fico vendo ele nascer completamente chapado, cambaleantes, covardes, coitados, carentes cavalos de Hélio, galopem a cuceta do dia enquanto dormirei úmido, passem, pasmem que tô muito louco pra tentar interpretar se rolou mesmo ou se vi demais, tô puto demais pra empirismos. O pior de tudo é me sentir desperdiçado, sentir escapar a ternura por entre os dedos, sentir escapar essa promiscuidade viada que me prometeram, que vi na internet, e que é irreal, tô aqui pra provar. Já provei desse prato frio madrugas demais, sozinho. Já que virei bixa demais pra dar moral pra homem, ser bixa pra mim vai ser comprar um poodle de pelúcia pra chamar de Caio ou Linda e morrer, sozinho. Ser bixa vai ser escolher com carinho pares de meias, de pulseiras, de pepinos e camisinhas, vai ser só a parte da vanguarda, a parte de se foder, sozinho. De novo. Cansado demais. Sempre exausto. Sempre me lembro d'ocê ao subir o Rosário que já desci e subi e caí eternamente nessas viagens minhas, e isso é foda, ser herdeiro de Sísifo, entre os rolares dessa rocha que iço comigo, com muita muita muita muita, mas muita preguiça.

e escrevo a

Credo, meu, te querer de forma impura,
Escondido no desejo que sibila,
Eu, te amando de maneira tão dura,
Miro
minha
a sede toda
em sua saliva
(Desde o início por ouro ou prata
Deus de parafina e navalha
te esculpindo essa cara
nesses olhos semicerrados
que arrepia de ver nas ruínas
da História dobrando esquinas
buscando esse rolê
de que disse que
tudo o que quer
é conosco
por tudo
que der
pr'a gente
&
nosso
affair)

um dia
nos desejei a heresia de pensar
e sonhar em sermos vanguarda

era numa festa, enter
em ondas de azia, enter
pelo que nos resta, enter
espero, apago e puxo um trago

nos imploro coragem, enter
mas talvez seja tarde, enter
nem vivendo na margem, enter
da juventude que arde, e metralho o backspace com todo o caralho da força do meu braço direito molhado em todos os músculos e veias que exercitei quase todo dia na merda do seu quarto, ordenhando o seu pau, sem cê ter a porra da dignidade de me reconhecer depois na rua, sem a porra da vergonha de me olhar na cara, vai se foder, se foder ocê com essa bosta toda no rabo, o que foi que eu te neguei pra não me dar nem isso no fim, meu, o que, nada, não te nego nada, nem minha porra de integridade ou dignidade ou qualquer coisa ou caralho que valha mais que ser cagado pel'ocê na rua, cê, véi, depois de quase pensar, de quase chegar a pensar que,

mas não,   quando   eu   cheguei   até   a   acreditar

sempre tísico
cumpre seu físico
de te impedir que parta

sua saudade
numa mensagem
pra voltar pra mim

sua vontade
de deitar
em mim
não só olhos

sua vontade de
apertarmos
não só as mãos
não só o braço
ou só as coxas
e essa sua pinta no esquerdo do peito que vejo sempre entre os vãos dos meus dedos quando cavalgo em você

e escrevo a

> 'embarquei na tua nau'
> embarquei na tua nau
> sem rumo algum
> a gente sem lugar
> cê que nem sabia
> que porra ia fazer
> e eu cansado pra caralho
> dessas merdas nenhumas

e desisto da

sua vontade de
nos roçarmos
depois da sexta latinha
(tá rolano sim)

sua vontade de
nos roçarmos
menino e Pooh
pelas vielas

(eu truco a coxa dela
e cê também
quando na-minha
com a minha
contra o seu
pilão paulista
risos rs viços
e te beijei e ri
ficando comigo
eu pedi mais
pedindo muito
e sabendo, mas
fica pra sempre
disse em
permanente
perícia)
permaneça no lodo
se esqueça do morro

de subir as ladeiras
sumamos de carro
subimos nos ombros
suruba em liteiras eu

só

te

pe

ço

antes ou depois de me pegarem no seu celular de bunda
espraiada
isso, que mandei
porque pede sempre
e sei que não apagou
ou depois de afogar a cara no meu rego
e te pergunto eu acho
mas só ficou aí rachando no beck apagado

cuida da minha asma
filtra o ar do fumo
e me devolve na boca
assoprando brasa na minha cara
bolando na mesa comigo
e eu cuido das suas taras
nossos múltiplos miasmas
espancados na massa
as fodeções de cabeça
nós loucos em casa
nós loucos na mesa
nós loucos na festa
minha bunda batendo o baile
como um estéreo de cinema
como água na lava
e por fim passam perto
e te descobrem o dilema
que sem cê-mesmo
me fica abraçando
fica a mim abraçado
a esmo, cansado
também outras vezes
nas horas no seu portão
nós loucos sol-e-lua na rua
até as velhas encaram
até elas sacaram, véi
pois sejamos sinceros então
seria o fim das máscaras
seria o fim ___ _______

decaindo, decompondo
horas eu derretido nessa onda
e cê rachando sozinho
no beck apagado

também né
eu tava loucasso de papel antes das três da tarde
te buscando prum rock
só mais uma festa
outro set de teste
a pura orgia do não
nem poder te pegar
opresso na trip
no que disse
entre as aspas
o resto não presta
nesse rolê
nessa cova
nesse nosso chão
e solícito eu
no chão tá ocê
que nos nega e reprova
dança aí, véi
e eu disse depois
pois nem pense nesse
se pudermos
pudéssemos
poderíamos
já que podemos

não me apresse mais
pra ter que parar
e morrer de fome
na boca do caixa
nós nos fodemos, mestre
nos fodemos
meu flowerboy
já não ia dar certo mesmo
só era bonito esse negócio
da sua barba na minha
e é isso o que dói
na moral dessa droga
a História nos pegou e apagou
fumando o futuro dixavado no cachimbo
no que nos viu de mãos dadas
nos chupando fundo
pelos cantos de praça
num quarto
ficou
o eco
no tempo
esquecendo até tarde esse eu
e que é ignorado
nesses dias
gastos
com
a
raiva que tenho da manifestação da militância no movimento político
do mínimo de pingo-de-vergonha na minha cara

fiz amizade com ela
fiz amizade com a visão
da sua mão na coxa dela
tipo o dedo de sol
que deslizou
suas costas
saindo, quando saiu
bem depois, da festa
pra foder
com ela

só para o deus dos cristãos não há mulher

1. NÃO SEJAS PESSIMISTA

Graças. Mas essa curta ida ao Encontro de Jovens com Cristo bastou pra que ele se enamorasse tresloucadamente, amor talvez, encontrara em um braço logo ao seu a oitava haste perdida de seu menorá, onde acenderia a vela do desejo infindo, revendo tal objeto-anjo nas manhãs dos domingos de Maio, de joelhos ante o altar, numa réstia de sol, aureolado pelos seus cabelos de oiro, com as compridas pestanas pendidas sobre o livro de Horas, o rosário caído de entre os dedos firmes, firme ele todo, mas macio e branco, de uma brancura de lírio aberto na sombra, mais branco ainda no contraste com o jeans preto, as blusas pretas, às vezes, todas polo, todas ao ferro engomadas, prensadas contra as marcas das suas omoplatas fazendo das costas dele montanhas onde se ir, a força dessas asas retráteis sobre a força desse tronco curvado nas leituras das cartas aos Coríntios, e o embate do olíbano e da mirra com seu cheiro amadeirado.

Retiros, amigos em comum, festas, quando depois dum momento de enleio e de delicioso pasmo juntos se ajoelharam antes da comunhão, ante a Virgem do Pilar, sua divina madrinha, de tão divinamente imaterial gesso pintado, finitamente feita, no semblante só bondade materna, só pureza d'alma, só abstração e sono matutino, no sabor da brisa seca, só sacrifício, solando solenemente longe no altar, conquanto imediatamente ao lado havia aquela aparição mortal, marmórea, um corpo completo e coisas tais, o pecado da carne em ossos e órgãos e rosto rosado, uma vontade sem nome, um medo, ambos os olhos desviados mas mesmo assim não se desviam os cheiros, não se desvia calor, oh, levantar foi uma oração, oh, obrigado, meu bom padre, pelo pão de Cristo, pelo doce sangue divino derramado em nós e por nós, me purifica, Senhor, meu santo Senhor, eu prometo, ele prometeu, prometo agora sobre a pedra de Pedro que o Nazareno será o único homem a tocar a intimidade da pele da minha língua, um corpo sem corpo.

Verba volant, a vida revém, a missa podia ser em latim e ser mais compreensível, esse Deus já nem era resquícios entre os dentes, corpo consumido e esquecido num canibalismo incomparavelmente mais vulgar que o dos índios, de que vale um corpo sem mãos, pelo canto da visão ele via as do outro, que já eram grossas, cicatrizes de cerol, se amarrando à grossitude já peluda do braço púbere pelo nó do relógio, não, não, mãos, mãos, por que as mãos, de que vale um corpo sem pés então, o vira uma vez de chinelo, numa reunião do EJC, o simbólico do vulgar do interesse pelos pés são os próprios pés, especialmente as solas, pedira de novo o fim do peso dessa pena sobre os ombros, o que é que faz um corpo sem ombros, tentara esquecer das vontades, os ombros largos, o pescoço, oh, não o pescoço, o quão bonito, pontilhados tons de bege, o filme negativo do céu noturno e as estrelas, a penugem loira como um campo de trigo sem joios sob o sol do meio-dia, visão divina, as pintas os pequenos aldeões de pinturas medievais, colhendo e semeando, colhendo e semeando, a igreja que uma vez prédio real em que estavam era agora apenas parte do terceiro plano nessa paisagem, entre os muros do feudo, enjaulada, afora os grãos a serem colhidos, a juventude do trabalho, o brilho da liberdade, o tempo das estações, semeando e colhendo, o que é um corpo sem a colheita, a penugem dos pêssegos de oiro de alguma lenda pagã, no futuro será difícil lembrar disso mas na missa era só ver, a penugem reluzindo elétrica próxima daquele sorriso de Marlon Brando, esquece-se, esquecer acontece do mesmo modo como o leito nos adormece, antes da vigília e das lembranças ausenta-se a consciência, ausentamo-nos em nós, não as vemos partir, glória a Deus e aleluia que é simples assim, se é feito, antes perder a memória que o espírito, esquecei-vos, novas memórias não mais serão se nos olhos barradas antes de hospedadas na mente, então não olhem, meus filhos, mais vale a alma que os olhos, arrancai-vos, diz a Palavra, os aromáticos cheiros feromônios-demônios serão expurgados na chacina sensorial dos cigarros, o loiro fumava, mais vale a alma que os pulmões, queimai-vos, se vos destruírem em tudo que vos faça pecar em vontade ou potência: que seja, nada sobra, que sejam um corpo sem corpo.

Tentara esquecer de antemão esse de quem não sabia o nome nem a vida, até que soubesse o nome e formassem, oh gloriosos domingos, por momentos, catártica catequese, parte da mesma vida, inocentemente, Senhor, é tão fácil ser gentil nesses ambientes, paz de Cristo com tais palmas ásperas, de que valem as mãos na alma, arrancai-vo-as, será que sem elas se rendesse por tão incerto preço, ninguém merece a teatralidade fodida das quermesses, oh, paz de Cristo e os braços pelos braços, o peito junto ao peito, a troca rápida e táctil das graças, depois os telefones, depois os videogames, depois os constrangimentos, as descobertas, os segredos e o sexo, oh, Senhor, entre as histórias de fodas, entre os nudes de minas e os giletes secretos na pele sangrando, cada um solando suas dores, pra depois vir de novo o vinho do corpo, não importa o quão despejado nas pias, pulsar nos genitais, quantas sementes varonis da palavra semeadas onde nem os pássaros ou espinhos ou o sol, eu li, eu orei, eu chorei, eu pedi, clamei, Deus, eles clamaram, só vós sabeis o quanto eles vos pediram, depois os roxos nos braços, os brancos nas fezes, só me restou a gratidão da culpa que sentiam depois não me atemorava pela demora da benesse do seu perdão, só lhes restara isso.

Balbuciando, como uma prece ingrata, as três Ave-Marias em cada manhã dominical e as indagações com que saudava Maria quando a via, ex-catequista, perguntando tangencialmente, pedindo soluções completas pra problemas vagos, ao que ela olhava, vendo o próprio Jesus-menino em seu rosto fino, fazendo sem querer a cara que Cristo deve ter tido ao falar às prostitutas, Deus te ama, ia certificando-se do arrependimento enraizado na alma do jovem, Deus te ama mais que muito, mais do que o muito pode ser, a culpa cumpriria seu papel contra todos os pecados, a culpa de alguém amado, a culpa do fogo do inferno sapecando no rabo, sejam quais forem e o quão graves fossem, estaria salvo, coisas da idade, tentações, sabe-se lá, ela não sabia bem o que era, nem me conte, menino, isso é coisa de se confessar com padre, menino, sendo o que fosse que fosse, ela mesma as teve, supunha, e às vezes tinha, confessou, todo filho de Deus tem, menino, coisa de se curar com costume e orações, apanhou o seu sombreiro, reza, menino, reza, descendo levemente a nave sonora e no portal se quedou, justificada, pedagógica, messiânica, melissa, enquanto ele segurava o choro nos tensos bíceps dos olhos até chegar em casa, rezar o caralho.

2. NASCI ASSIM

Todo o tempo do mundo é muito pouco tempo pra se ter, mas é o que temos quando muito jovens, a culpa é um mau sargento e um mau soldado, a disciplina é infrutífera no reino dos animais, então ele amou de plenas potências, viu de perto o eriçar dos trigais dionisíacos, arrepios como brisas, umbigos como brasas, o verão da alma, a primavera do corpo, às escondidas, mas que fosse então se fosse a única maneira, fálicas são as velas dos claustros, não poucas vezes às escondidas, um corpo sem culpa.

E antes que os antagonistas da vida vivida venham em vão vozear odes a alguma virtual virgindade, nem tudo é *Moonlight*, nem todos esperam a moral abrandada abrir a gaiola do tesão, ela se enferruja *in natura*, há muita umidade nos trópicos, nenhum outro país na história das humanas nações mereceu tão valorosamente seu nome de um pau, embora nada além disso, nada aqui é duro exceto os madeiriços vergalhos, o resto é Gilberto Freyre, cheiro de cu e bolo de canela, a repressão repreensiva se atrasa como qualquer latino em seus compromissos, a gente sempre marca às duas pensando em ir às três e chegar às quatro, como já dissemos categoricamente sobre a culpa: quem nunca teve seus próprios primos e amigos com quem jogar videogame que jogue o primeiro controle ao perder a partida, depois recalquemos na cultura, tudo se resolve em política.

Ah, o mito de fundação, íamos nos esquecendo, o mito, como é fútil o processo da memória, leviana a linguagem, a vida prova a tese *a priori*, era o que faltava, *o mito*, a narrativa de identidade, o mito de fodeção, se nosso loiro mancebo é Martim, como são todos os brancos de oiro, tudo nos leva a caracterizarmos, por consequência, nosso jovem pecaminoso, inicialmente penitente, presente bacante, como nossa história de assimilação pela beleza europeia, nosso foco e ponto de vista versado em arte medieval, ele não pode ser ninguém senão Portugal, já o Ceará será o que quisermos que seja, vários símbolos encaixam, vários filhos futuros, o fruto do afastamento é o sistema do sigilo, a corte portuguesa emasculada pelo mar se endurece pelo calor das praias, no apertado das sungas, discreta e fora do meio, o que nos leva à Iracema Maria-Purpurina das Dores Sensaber da Silva, não virgem, mas catequizada, mais uma jovem no EJC, corna sim, do pior tipo, sem sabor, talvez o mais comum, como acontece com a hepatite nos vestiários, mas corna de Portugal só no começo, enquanto o sabiá cantava era o tempo do amor, emudecido pelo surpreendente sabor da flor feminina, até que serve, amolecido pelo conforto, duas pitadas de chauvinismo e ela é quase tanto quanto, amaciado pela pressão, sabe o sabiá, fabrica o ninho pra sua prole, tempo do trabalho, status no Face, anel de noivado, contatos mil com os amigos dela, e Portugal, como era cavaleiro mui discreto, desde que o reconheceu assim inabalável na sua indiferença, não o procurou, nem sequer ergueu mais os olhos para as grades das suas janelas.

E ao nosso Portugal, nosso triste Portugal, que agora vemos tão diferente de seu ser primeiro, sobrou sentir no coração um desusado bater de ansiedade e medo, de que aquele seu irmão de paróquia, fraternal companheiro de fluidos, completando com sua parceira bodas de milagre ou papel, passou sem se deter, molhando os dedos na pia de mármore de água benta, mordendo os lábios, os seus olhos coroados não se ergueram pra ele, Portugal, que exigia demais, que quis manter pra si todas as riquezas já abertas pro mundo e perdera o súdito, havia agora a Martim um tal Irlanda do curso de inglês, um tal Espanha do time de futebol, um tal China do pré-vestibular, Portugal era passado, passando a procurar outros capitães-caciques-Camões numa carreira militar, logo logo aos dezoito, com a mãe de rosto rússio seguindo de olhos muito abertos, documentando a esmo, cumprimentara o loiro, lógico, era amigo de seu filho, perguntando quando os visitaria de novo, ia fazer bolo, torta, rolê de pipoca e filme, Michael Bay no hometheater, de Iracema e tudo, sentia falta, achava boa influência pro filho, quem sabe um quarto elemento por responsabilidade dele, ou dela, muito mulherengo, dizem, amizades-ruins, conversa de e-as-namoradinhas, mal sabia, sequer sonhava, só as mães católicas são felizes, faria nada, ele não vai mais, não vai nunca, o que ela fez mesmo foi deixar os dois garotos se envergonharem no silêncio de lembranças salgadas, ecos de últimos urros, ah, mal marinheiros, desliguem a vitrola da valsa lusitana, bossa-nova agora, rock'n'roll, mais vale o touro que o mar, seu loiro já meio distante, entre dois brothers como entre duas torres, é nascido o Brasil dentro de si, atravessou vagarosamente o adro, pedra por pedra, gozando de-certo, como se antes encarcerado, o desafogado ar e o livre sol que inundaram seus olhos na visão da namorada, de mavioso nome, manequim que o esperava em pé, não há carência de descrições, belo é o fruto da terra, podia ser uma manga que serviria, não haverá mar ou céu ou mistérios de imensidades comparáveis a tirar-lhe os olhos dela, por vidrados de um tipo de amor comum nesses ares, que nasce da necessidade, porque a saudade da pátria apertou em seu peito por muito tempo, como flor de maracujá, uma lembrança roxa e esgarçada, arregaçada, pulsante nas bordas, guardada talvez até a morte das memórias, mas não se sabe, ninguém jamais explorou o círculo antártico de onde se cai do mundo das representações, nenhuma caravela da psicanálise, nenhuma ave migratória, só as noites brasileiras e suas avenidas mal iluminadas ou quem-sabe nem isso, só sabe Deus ou os terraplanistas, então, parece ser, se Deus-em-si existir, o que não sabemos, não sabemos, nunca.

Se não existir, que imensa graça, quão irônico deleite, se assim for riremos no infinitesimalmente minúsculo momento do fim, diremos, olha que cartada errada, que sacrifício inútil, ninguém nos via, atuamos à toa.

Se existir, que imensa graça, quão irônico deleite, multiplicado nos vasos de barro será o licor branco da nossa vergonha, nos encontraremos no além, compartilhando terra comum com as almas dos trabalhadores noturnos, olhos que viram de tudo, com as almas assíduas dos mictórios públicos, dos bancos ao redor do banheiro dos ônibus interestaduais, das mãos amigas, das mãos dos padres, dos urologistas, dos motoristas de uber, dos carinhas que vinham instalar a TV a cabo quando era em voga, e elas contarão, entre a dor de suas flechadas de fogo e o barulho borbulhante da nossa própria escaldação, os encontros que tiveram com Martins vários, de épocas várias e variados lugares, badaladas ocidentais praias lusitanas, saunas romanas nas ruas com nomes de generais, os casados Gamas nudistas se-gamando perdidos entre aqui e Mykonos, e diremos, que martelação careta, quanta micagem, quanto despropósito empenhado nessa peça sendo que os atos se desvelaram sempre nas coxias, as melhores cenas desperdiçadas na inutilidade desse palco italiano, porque veremos no fim que, e isso é teologia, quem poderia ser essa plateia sentada, segurando aplausos, enquanto todos atuam, além de alguma entidade metafísica que logicamente via tudo através da cortina, tudo asas adentro dando voltas e voltas no intestino do teatro até os camarins e camarotes, viu tudo através das abas de pornô, viu tudo através dos panos que esconderam as ereções muitas, viu no desencestar das cuecas as manchas do tesão reprimido, hipocrisia não devia ser nem pecado já que não se tira prazer, nem os anjos-caídos acham graça, maçante demais, corta todo o barato de infringir tortura infinita quando se faz nessas costas laceradas por mãos próprias, nem relógio é resignado assim a trabalhar de graça, existe a função, seria mais sublime se empenhar na depravação imersiva de um teatro-oficina, todo mundo sabe que cristão nenhum há tempos faz boa arte, desde Dave Bixby, mas aí talvez tenham sido as drogas, mas tentemos, montemos a companhia dos coitados, será a mais longa série, já que o real atual tá mais chato que *Grey's Anatomy*, estamos tentando engajar, usemos *vulgata,* vamos, vamos, vamos, embaralhemos nossas falhas, Christian Grey está mais pra Christian Gay, com trocadilhos e traumas e am I right, sejamos justos com a nossa face por fim, chega de Fernanda Montenegro recitando Nelson Rodrigues no Fantástico, peguem o celular de qualquer machinho e botem as mensagens na banca, na Bienal de São Paulo entre as esculturas polonesas, abram a galeria de fotos de um pai de família e imprimam em livros de fotografia profissional, filmem tudo dentro das CSMs e rodem as fitas em revitalizados cinemas adultos, quem já foi coroinha sabe do que estamos falando, ia ser bom, ia ser punk, aí sim iríamos ganhar a confiança do mercado internacional, esse tipo de sinceridade nos arrebataria ao primeiro mundo, a Semana de 22 seria um simples pré-gozo da nossa panaceia artística-catártica, nosso Guernica é uma gozada homofóbica, aí sim haverá cultura pra haver Ministério, aí sim saberíamos se a igreja subiu ou se o céu desceu, do inferno tudo parece mais simples.

que faço entre as coisas (ou de que me defendo)

turvo, turvo a turva mão do sopro contra o muro do pixo: nosso, é nosso o tudo!

escuro: nem tanto, nem tanto no nosso controle, o capital produz a pobreza que produz a perifa que produz os problemas que produzem o noia, navegante nauseado, capitão Ahab em busca do Moby-pique.

menos menos, o capital produz a planta que produz o pó e produz quem produz a pedra, cozinhatório, laborazinha, menos que mole e duro, menos que fosso e muro: fumaça, freebase-crack--cocaine, escuro, mais que escuro: sozinha não, rolê pesado, eu não, gostosinha mesclada no verde na ponta que passaram pra mim quinta, terça, virei um dos Scrooges do tráfico, na ponta que passei próxima quarta, fantasma do carnaval passado, presente e futuro, sexta, anciã ansiedade, yas gawd, bom pra rolê, melhor que loló, melhor que só o pó e a sensação de cara amassada, travesseiro duro, melhor tudo junto, um gosto doce no pulmão, na mão tipo flocos de alho-frito com orégano, depois dedinho de gorila no sedanapo.

não sei se o capital produz a bixa, acho que não, coisa mais velha e íntima, se não tivessem documentado na Grécia não acreditariam, mas vir mesmo veio junto do macho, Caim, quem sabe, o outro a bixa, talvez a morte seja um símbolo fálico, com certeza não Caim a bixa, o outro, coisa de bixa morrer esfaqueada, preferida, também do pó ao pó, farinha como se fosse farinha-farinha mesmo, key, não falta tomperro, Jacquin, não falta nada na meia hora que o Sísifo de mim se-fu sozinho num vício fodido, foi o padê que foi feito pra bixa, nessa ordem, encaixa mais que as conspirações sobre a AIDS e a América e os macacos, sem padê pras bixas não tem mundo, ah, nada gira sem splits e lâminas nas mesas, chamam de carreira porque é uma progressão mesmo, se tu se dispor, tipo um caminho, reto, mas pensar é só palavra, tudo pode ser alegoria de tudo, a analogia é livre como nós não, fez-se a democracia, tipo, tipo palavra não faz sentido, a verdade é a rachação, se não piquei essa semana ainda um outro dia eu pico, se alguém aqui aguenta saber uma sabedoria sabida nos clubes e nas calçadas dos pontos de táxi e saboreou comigo essa experiência HxH, coisa recente hashtag-nodrugs nos apps de pegação, quem sabe do que eu tô falando sem falar nada, amém, nos encontremos, somos pernas de meias-calças, abertas, abridas.

claro, como água? melhor hidratar, uma droga uma fruta, não dá pra ser frutinha nessa boca de fumo, finjo que é punk ser bixa.

como pluma? claro mais que claro, claro: teto branco, coisa alguma e tudo, teto preto e eu fico mudo, maldita fome que não vem, filtro de café e bicarbonato, meu professor de química era gato, pena que não soube ensinar nada que eu não sabia, nesse tempo mudou tudo dentro de mim e de dentro de mim me pouco manifesto: o cara me oferece o lança e o pinto, nojo e vontade, se contasse quantos, faltavam dedos e números e ábacos, meu rabo pro futuro, rabiosa abstração, diarreia diária de trabalhadores desesperados, os que não trabalham pior, o Brasil é como o meu cu, um latifúndio de idiotas, um play de playbas enrustidos (ou quase).

tipo: gira, gira, gira, gira, gira, gira, estica e puxa, injeta, finalmente, tarda mas não, sarra que eu gosto, oferece, eu não nego, caro, caro o carro e no carro é vinte, deixei há tempos a igreja lá no bairro, que moral que ideal que identidade e o caralho, caralho, família o caralho, fé no caralho, uma desgraça viver de qualquer jeito mas do jeito que eu quero é melhor do que o desse Deus aí que ainda não me provaram, que não era a borboleta no meu ombro quando eu chorei de quatro por um sinal, que não é a recompensa eterna da mais longa ainda sina, mas eu já não tava no erro, ein, comunidade, já não nasci na merda, neném, vinte conto ainda é muita bosta hoje em dia no beco certo, vinte anos não é nada em lugar nenhum, e sem coisa alguma essa coisa já não pulsava dentro de mim?

então toma aí, piiiii, alô, piiiiiiii, atende a linha muda do loló desbaforado, piiiiiiiiii, tinindo latinha-inha com latinha-inha-inha, toda minha no bar-terraço, ainda fico esperto, no momento, nem sei falar, descolo um otário, piiiiiiiiiiiii, um boy chegou no baile, gato, de peitão todo engomado, piiiiiiiiiiiiiiii, pagou de macho, tá no papo, já estende a linha branca na porra do capô desse camaro, piiiiiiiiiiiiiiiiiiiiii, coelhinha, eu tô igual às coelhinha de pompom no rabo, minha mãe chorou mil vezes mais que todas as Marias, o primeiro pino no armário é foda, caralho, o primeiro pinto, depois sair do armário foi mais foda ainda, puta que pariu, daí não tem mais tom, não tem mais conversa, saí de casa, trampei, fi, trampei, depois sei lá o quê, ela reza até hoje pra eu sair de sair do saído e acabado, de que pra quê, futuro furado, fiquei anteontem sabendo que eu sou o preto fodido e drogado que as crentes falam indo no mercado, droga é só pra distrair, virei o boato da, piiiiiiiiiiiiiiiiiiiiiiiii, ser preto que é o legado da coisa, pobre, era pra ser pastor, agora eu entendi tudo direito e glória glória halaxúria, das línguas sei só a dos homens e um inglezinho de reality, inglês latino, *how can I please you, sir*, tinha que sair mesmo, mas que lugar pra mim nesse grande mercado, oi, minha escola é tal, profissionalizante tal, aham, moça, esse mesmo, sei lá de diploma, falaram que acabou então parei de ir, é, esse wannabe SENAI de noventa mil negos igual, piiiiiiiiiiiiiiiiiiiiiiiii negação atrás de negação, currículo branco que não for de branco é papel de limpar merda, depois vão descobrir que me virei, trombando comigo nos clubes, negação atrás de negação, naí a fodeção toda na entrevista, viado, haja coragem, cortar as unhas e tal, na avenida diurna não cola sotaque francês, piiiiiiiiiiiiiiiiiiiiiiiiiiiiiiiiiiiiii, mal sabe a congregação que foi nela mesma que começou, nas calças dos pais dos amiguinhos, que pena desse menor que não tem jeito, disseram se melando, se o diabo tava em mim essa bixa sabe mesmo pular num colo, o capeta rebola muito melhor do que imitam os filmes de exorcismo, quando tá nas velhas parece que não, sei lá, elas só pulam no palco, os maridos reclamam, negação, negação, negação, piiiiiiiiiiiiiiiiiiiiiiiiiiiiiiiiiiiiiiiiiiiiiiiiii, minha poltrona domingueira é a minha rola pendulando sozinha, dura nem sei pra quê, minh'alma aportada no gilete no meu peito, meu rabo cheio, tá bom, camisinha, tá bom, chuca na pia da cozinha, se foder, comer cu pra quê então, sente aí, senta, senta, senta sua cadela, hm, eita, mama, mama, cadelinha piiiiiiiiiiiiiiiiiiiiiiiiiiiiiiiiiiiiiiiiiiiiiiiiiiiiiiiii.

de sossego conheço poucos, é nome de sítio de boyzim, tem de pegar Hilux pra chegar, entrar nuns canaviais, sentar numas canas, pegar uns bagaços, senão é lama, senão é segurança de pau duro de novo, novinho assim só entra acompanhado, de tiozão, já sabe pra quê, sendo arcanjinho de asas sem penas, as plumas nos lábios, semi-Gabriela, Ceará baía-aberta, que porra que é gênero, eles querem é buraco sem artigo, me contento, é trauma mesmo e eu sei, mas foda-se, contento, mesmo se eu não fosse essa flor na primavera eterna dos polinizadores, pernas peludas me trazem os pós doutros encontros, paus com cheiros de esposas, descobri diadesses que eu já sabia como era o cheiro de buceta, chega um momento em que se chega a pensar pra que é que tem mulher num país assim, com pais assim, numa taração na gente, tarado que o universo fabrica de um jeito que se Ford soubesse já nem tinha judeu no mundo de tão rápido que eles tinham capado, se o apartheid-Clyde ficar sabendo onde que é vai passar túnel pra carro de rico embaixo e foguete em cima.

vejo todos da cintura pra baixo, de dia, cê-pensa, vai ver é celular, carteira, costura, aí vai ver mesmo e desabrocha a marca óbvia de onde fica a cabeça como uma flor úmida no jeans, olhar é ao mesmo tempo ser testemunha e cúmplice, *física quântica*, secando branca como uma margarida pintada, de noite as obviedades são óbvias, como hão-de ser.

já sonhei ser famoso, sabia, sonhava quando criança ser normal, quando o tio falava, é bixa né, se é bixa então senta aqui, até conhecer a normalidade nas noitadas e ver ela sentada nos seus próprios tios ou o que valha, ou me querendo no colo, os que quiseram o contrário tiveram menos sorte, drinkgame, pra cada bombado dizendo, judiaçã'ocê com essa rola enorme só sendo passivo, mó cabeçudão, bródi, men, parça, até brilha, veiudassa, bota pra trás assim, isso, come seu próprio rabo, nunca-eu-tinha, podia só deixar mamar, e eu só Engov no estômago torto de azia e broxa do anel, rachei anos vomitando lembrando de achar que era o único bicho quando todo o resto é bicho também, desses de gaiola (tenho tesão naquele clipe com o Shia Labeouf, só por causa do Shia Labeouf, é claro, se meu pai tivesse sido assim eu tava até hoje sendo aquele meme do papagaio que não sabe voar), gozando sem mexer o rosto, gostando sem falar um porra dum obrigado enquanto a gratidão por mais disfarçada que seja me escorre desde as entranhas, me contento.

azul
era a polo
azul
a gala na luz negra
azul
o pauzão de cavalo
azul
meu cu cansado.

acho que era bixa que eu queria dizer, isso que dá se derreter de solvente, então ele disse: teu anel igual uma bucetinha que parece sorrir entre as porras da minha banana split, entre os urros de dor e o cheiro de bosta, hm, vai aprender a higiene uma hora ou outra, aberta como uma boca do corpo (não como a boca das pauladas, das lambidas, do piercing que mais que tatuagem de estrela nas-

-antigas entrega que tu gosta de bezerrar gostoso, num melado branco oceano de saliva, num vermelho bolchevique de sangue que não pinga, a esquerda agora é nossa, benzim, identitarismo com recorte de classes, fazer o que com essa porra), faminta, como uma entrada pra, carai, viado, quentinho demais seu cuzinho, muito igual uma bucetinha beiçuda, só que mais, apertadinha, péra aí, pô, porra, péra, já tô gozando, carai, espera a sua vez, seu corno filho--duma-puta, viado, mmmmmm-uuu-UUUU-AAAAARRRR-Rffff-ah-caralho, melhor que sua tia, um canal de esperma-estrelas como uma pista de pouso forçado, piscando, apontando o caminho noturno de entrar-mo-nos em ti, via-láctea aleteia reflecta nas margens dum rio bom-de-nado, hemorroidas-gengivas, mamando.

não sei se de pó se de bala se de sei-lá quanta dipirona-paracetamol vem a vaga fábula do entorpecimento, demerol, diazepam, lidocaína, codeína com certo medo, tomei tudo, de que tecido currado e curado é feita minha carne, não sei, uma sela de couro de boi em cima do couro do cavalo onde o cowboy fica roçando as bolas, no calor sertanejo, no carro dos boys voando na BR e essa vertigem que me arrasta por avenidas e me faz de vagina entre cheiros de butano e chá e carvão de narguile, muito camarão, muito cristal, me mijo, meu corpo é um fantoche que me veste, a me consumir como uma meia se decompondo embaixo da cama, Carmen, Carmen, fala, falta alguma coisa em mim, sempre faltou, mas sejamos práticas, sejamos sapiosas, sejamos antropólogas nesse privilégio de viver a verdade obscura dos domingos depois do futebol, falta neles também, faltava na congregação, pelo menos não existe mistério ou ministério no uso do sorine pra poder pulverizar mais o meu pulmão, queria que fodessem meu septo esquerdo pra acordar esse lado da cara, mentira, caralho, tava brincando, não sou muito dos tapas, queria ser eu a foder alguém, um dia, se conseguisse, só pela troca de papéis, seria eu um dia um desses milhões de caras de pó e pau na mesa, catando coitados na rua, redpill e tudo.

ou dentro de um ônibus, não-espacial, mais manchas nas calças que nem vejo, emprego porreta, cobrador vê tudo meio de lado, empinado e balançando, empreitada de ex-crente de corpo cansado, shopping, balcão de Subway, as velhas nunca sabem o que é a caralha dum barbecue, só de base nos olhos e unhas, calça colada na bunda, no almoço parava na Saraiva só pra olhar, invejando as bixas que sabiam todo autor que tinha feito que coisa em qual corredor, olhando as capas, li algumas coisas, assumi meu lado Fábio Assunção, versão global, versão entrevista pra Veja, versão de mentirinha, semi-limpo, produtivo e sei lá que porra mais que esperavam de mim e achei a maior merda, curso de cabeleireiro, manicure de madame mais porralouca que eu, me pagavam em remédio algumas, tomava sonhando em ser aeromoço de voos pra Boston, cidade dos viados de verdade, ou Chicago, ficar só com caras sem frescura de fingir que nunca fizeram (imagina só, se abrir pra cara casado é ouvir que nunca fizeram, aí na hora terem pachorra de pedirem pra fazer força pra fora, como se eu não soubesse, como se eles devessem saber), não ficar nunca mais com ninguém nunca mais na minha vida, só-e-só no bojo de um Boeing 707, acima do Atlântico, se é que passa por lá, acima do golfo do México onde chicos como eu têm de conquistar a vida, até tocava Toxic nos meu tímpanos parados nas microdoses de bike, também das madames, a elite é imbecil mas se diverte, mas aí o avião, cagando poeira na humilhação e putaria do mundo deixado abaixo, podia ter sido piloto pra sentar o cu no manche vendo as estrelas, acima das fodeções de cabeça da América Latina, *I only speak english, sir, sorry*, e narigar o oceano pra nunca mais, pra não acharem peça nenhuma da lataria, mas o nightmare nas manchas como flores brancas nas horas da entrega dos lanches, *yes, sir, this sandwich is gluten-free*, e o gringo comendo sem aquela bandeja só pra mostrar as pernas, sem necessidade de sachê de maionese, pelo visto, muitas gorjetas altas pra ser fodido com plateia, o pau desses caras é lombrigoso e esquisito, casa de rico dá vontade de deitar no chão, alguns me foderam assim, e eu aceitei, vim aceitando, as madames pagavam pelos maridos, cafetinas no casamento, erradas não tavam.

ou acima do arco-íris, da atmosfera, que se foda se os astronautas tiverem tesão na minha bunda, roupas impermeáveis, cápsulas impenetráveis, acompanhamento psicológico, qualquer coisa eu viro picolé que não se chupa, paz enfim, rachar todo dia da água flutuando como alucinação pesada na microgravidade, perfeitamente fora do rigor cronológico, sonhando que a Terra se exploda e nos leve junto depois de alguns segundos de show, me expulsaram dessa merda há tempos, nada é meu se eu não enfiar dentro de mim fundo o suficiente pra que esses piroquinhas desistam, mas no espaço o nada é tudo, sei lá, às vezes me gasto nessas coisas, queria ter sido astronauta, queria tanta coisa que prometeram pros outros, feito vestibular, talvez ainda dê pra fazer, não sei, por enquanto só sonho com isso, fumando o crack estralando de leve-leve-leve no meu baseado, me levando.

não ode IV

O cansaço, pai dos meus filhos, solitário senhor que me come escondido, solidário soldado me metendo vísceras afora, consumindo com gula voraz, vive, porque na mente a gala goteja garganta abaixo e some dentro, fervilham os frutos no fundo do estômago, sementes da palavra da luz da quebra de um futuro provável, só entes e nomes, a fome por homens, os sonhos com ele com elas, o calor nas retinas que morrem nas minhas pela multidão dos corpos, o desenrolar dos dedos nos passares dos becks, os suores de hormônios nos segurares dos copos, o desinrelar das mãos, nas reuniões, nos golos, da igreja implodida por impedidos universitá... ah, mas esse molotov no colo é o beijo que nunca te dei, um soco sensível, o sal do silêncio, um poder-pensar que um dia rebolaria pr'ocê, desgraçados bichos acasalando, cães sonhando só, que seria com esse pinhossol, com a antifa e contigo, que devolveríamos Brasília às cinzas da caatinga, e se a tempo a gente pudesse, fizeste o teu e me fiz de pêssega na paz perdida por seus pés, sem moleza pra nação que foi dita dura, não oferecera eu o teu consolo, com pesar é que te peço muito, porque podia mais, tô muito é cansado de me falarem nos cantos, inteiro exausto da violência bruta de me roubarem de mim, meu, tá foda, massagearia os músculos cansados da luta, beijando os roxos das balas de borracha, os seus, eu sua, seria, mas só caio em mim nas noites em que sonho que me reconhece e me assovia seu sotaque suburbano, afogados em ressaca, num tesão denso de se cortar com faca de manteiga, acendendo, é a ereção como vela de missa amolecendo o frio na barriga, ascendendo, aos céus avança o choque como os trezentos de Esparta, a tropa trova, tremores, tambores, temor, teflon, panelaços à pampa, não é pimenta, nem mostarda, sem sarin ou estourar das veias e vias democráticas, é do fogo cruzado de ver que me olha em vergonha que me molho de cegueira, nossos corpos gastos na guerrilha ideológica ideal, é por mim que quero que veja, só espero que enxergue, queria poder fingir completo, por uma pequena vida pequeno-burguesa de acordar com um bafo que flerta com o cheiro da sua pica, venero vivermos de aluguéis de apartamentos, venenosos, vis, vagabundos, só peço que venha até mim, que me faça de depósito.

O cansaço, meu pai escolhido, amante da indústria que me pariu entre as canas e o café, mediante à injúria de que partiu embuchando mulher, assiste, porque modernidade é oroboro encarnado, encarando o corrimento solene do olho sozinho, o temoroso comprimento do tempo, carregando às costas o cumprimento do mundo, solitário encarregado de convencer a comunidade marianense, nas reuniões pel'ocê, no CA pel'ocê, nas assembleias pra te ver, e numa vi que me via, peleguei passeata e sofri por vídeo, revi suas antigas fotos postadas, em tempos me arrependo, mas pra quê, se daqui a pouco volta a Samarco, se não sai do meu suor o que eu pago, se do exército se ouve o passo, a marcha, o progresso como mato que racha calçada e limpa a merda do sapato de quem passa, se um dia eu saí de casa foi pra refutar inútil e beber cachaça, não ocupação, não manifesto ou manifestação, não militância, expulsos enfim, graduação sem ganho, pra quê, por que se ninguém ouve o que falo, e mesmo com ato e mesmo artista-de-caça no pouco que faço, sofrendo em chalaça, já taria aí se me pensasse no banho, nas suas mãos que são bonitas pra caralho, pelo néctar que escorre até seu ralo, em espuma espirala a esperança do país, se dissipa a sabonete o meu pão, meu povo, das nascentes das minhas forças pelas minas da sua íris, se soubesse do show do Carne Doce que perdi drogadicto em ti, e te lembra em mim o quanto chora a Rita Lee nos ecos do meu quarto, o quando te vejo em lábios de mulher e estou insurpreso pasmo, mas-ele-é-mísero, esquerdomacho, sou por muito curado, nem trinta minutos cumpre seu olhar de me triscar teso de novo, mirado na fronte, colado na fonte, claro que caio, volto criança à Pétit Paris até que cê se encontre em seu Belo Horizonte, alguma cachoeira, sei lá eu, diminutiva, sulita, ou poço d'água ao sul dos suis dos pais do meu pai, muito gauche, muito puto, ou milite por mim, recuperando o redondo onde sento como pomba em fiação, cagando mole na testa do desejo, não me deixem na derrota da debanda, rumo à Califórnia Brasileira e o verão de Sua fúria, aguardando a morte do pai a contemporizar o esburacado das ruas, a dívida da máquina pública, a decisão judicial, imploro à cúria e regozijo entre orgia e perdão, padre, por favorzinho, te mostro meu pinto, dotado dum Brasil não grande demais pras ambiguidades, dum Brasil ávido de dissertações e de barragens, dum Brasil pelo qual nos espalharíamos em infindas cidades, a cada porra de praça de tradicionalidade, cada qual com sua cerveja e selvageria em seita, numa última diáspora, imagino que fora de habitat seremos pragas, imagino só os meus delírios de nós, suas tatuagens tocando minha pele e as sonatas de cigarras, porque nesse carnaval não te conheci e não tive acesso nem à máscara, ainda não fui seu amigo, sonhando com seu pau nas minhas noites de tara, não sei se ainda disse, se saí de casa foi pra te furtar por último e beber na praça, sua pica na minha, antes nós, nos anos de aqui e agora, porque a bolsa acaba, agora o ICHS é das bixas de bata, porque era o chorume disso manancial do que chamavam cultura e se expunha no MASP, e que se exporta canária, fina como exótico açaí, degustado na Europa como nossa boa e bela embranquecida bossa nova, desfrutamos de royalties no monopólio de sofrer bonito, ninando a histeria com fossa tropical, e te imagino em mim, no pouco da voz que reconstituí e que pergunta qual zé-porrinha é que liga, quem é que se importa, e é epifania de sala, me calo enquanto me afaga e me coço, nós em concha sem eco de mar, nada real, projeto tudo enquanto acordo, a cabeça é o braseiro do cachimbo, fogueira da caverna, assim como as figuras nas pontas dos palitos, eureka, ainda não lutei, ainda brocharei de tamanha vontade, quero a verdade como um cão que não lambe o saco, nós na sombra, sonhando muito mal nas mil noites às claras, não sei se disse, quero poder querer uma paz que não existe, uma que não seja uma falácia branca, mas bancaria a palmitagem pervertida, objetificadora e problemática de fazer suas bolas de glândulas mamárias.

O cansaço, um às do cupido, em teu nome na gargantilha que virou garrote, em todo canto ou espaço que se preenche em vazio, resiste, enquanto não creio na fraqueza da sorte, no controle e dimensionalidade dos teus olhos de Moholy-Nagy, mais uma vez menos doeria a morte, menos valem em mim os talentos que cativo como cultiva o mundo fortuna paisagem, somente uma lavra de pus na pedra de um túmulo louvável, arrancando a fiação do seminário enquanto saio, mas não quero nadar nas águas turvas de negrume ribeira, minha antiga casa, monumento aos que não me foderam, voltaria solo ao século de 2000-e-eu-era-feliz-e-não-sabia, com a arquidiocese nos apontando a saída, média a idade dos jovens e suas jocosidades, os pelos explodindo de seus poros, mais novos ainda que a Constituição, a gente partindo sem oi nem adeus, só sua continência irônica, só seu rosto tal mural bizantino engravado a ouro na minha memória hedônica, cravado d'ouro das minas daqui, brotando puro KY na possibilidade do Deus que de descrença conjuro, mas procuro qualquer coisa que descubra a minha vida, leitura de cartas, mas-ele-é-efebo, linhas da palma, mas-ele-é-plástico, trás-em-três-luas, descalço, me tirando, me chamando de Pedro, de Paulo, preciso de algum corvo ou pomba qualquer que for com presas às patas pistas de suas pulsões, pois seu cruzar de braços é a escultura silente do talvez, será por medo, ainda mais salivo, me enrolo enquanto cê me sedimenta com seus olhos de mar, só sussurrarei sozinho, pois que não fosse em vez, minto, que se recolha na ressaca, não sei se quero saber, se quero saber se sabia do saborear do ente sobrevoando a verdade do discurso, ou antes, entes-estrumes no fluxo da existência inexplorável e reciclados em papel de bala, Chitas-de-banana no desembrulhar nostálgico do nada, e os nomes como umbigos colados nas coisas apodrecendo pendulares, amos-costumes no lúdico da consciência dissociável e revelados no ato de fala, será que sabe, nesse solo onde salta deitada a epiléptica empiria, será que sabe, berrar é saber & existir e o Tu, Deus-de-si, deus-de-que haja barulho pra que exista, existe, resiste, e que plural enxurra nação com o exitoso nascer do novo, segurando ao colo um não neném a pátria-mãe de seio selado, e nós que pensamos num progresso possível, mas tua é a vida, companheiro, aprendemos, exultoso o feito de chupar o dedo, tombado nosso orgulho e segredo, sabe-se do ventre que é de chupar que se faz a boca, de sucto-pacto-sanctum-sanctorum, chupando ar surge o choro-oráculo, chupando gengiva germinam os dentes, pelos lábios fede a face como ferida exposta da carne, os lábios da boca a buceta da alma, parindo, lábios que são flanelas dos olhos, lábios que são o exórdio das fezes, lábios frágeis, fruto cármico dos cães, lábios-cama-de-gato de cruzar com a língua, lábios potência-apocalíptica, sem tragadas fortes não se engole a vida do mundo, aquele que vive queima a garganta, aquele que vive amanhece a esmo até não mais, aquele que vive correrá de sangrantes pulmões às portas do pomar-latifúndio, comprar a crédito o fruto proibido, erra o ocidente ao apreciar a tão vã estrutura da boca, porta-dos-fundos do entupir das narinas, porta-dos-fundos da vontade impedida, mas é que fala, ela, fala e flana o verbo pelo desvelar do inenarrável como se fosse cara ou clara, talvez seja, com custo é que se cala, com custo é que se farta do regurgitar dos nadas, do recogitar dos Nomes, queria que entendesse, sinto que tô sendo didático, porque aí eu chego no ponto, olha aqui, olhe pra mim, não assim, não com esses olhos de quem colhe pra fermentar, se é que soube, se é que ouve o que eu digo, se finjo ou se falo, se é o solipsismo só falso conforto, meu amor de cansaço, nós na visão do ovo, nós e eu que não morri nunca, mesmo no desprezo que sofro sem culhão e me calo, lembro dum casamento e um buquê, dum brincar de escorrega, duma das rosas rompendo o arranjo arremessado e aterrizando comigo, da semana que demorei pra comê-la pétalas-por, de quando visitaremos o túmulo de Eleanor Rigby na voz da Cássia, depois o do Rubens, deixar tudo pra trás como as avós aos nossos pais, o quanto mo permitirem, no tanto que vivo em favor desse fervor não religioso, lembrarei em vida das coisas que vi, minha saudade sem-lastro de ti nas mulheres que tiveres, lembro do tempo qual perdi pensando-os ambos, confirma a ironia como minha anciã ama-deleite, minha tristeza que trisca o trauma, nas sombras da aroeira de folhas míticas, perigando desmate, poracé de paixões por repúblicas masculinas, fronteira do real, mas e o cansaço, o cangaço, pinga que escorre pelo peitoral de couro, caindo do ninho, carrasco coletivo do comandar iúdico, impedindo que se importem com o destino do instituto, em riste, nas malas que devo arrumar, no derrubar de lágrimas, no sono em ânsia, no afirmar de que a verdade é retórica nos cantos e bares que assento, de esperar pelo recíproco, nos cheiros de porra e café, num gato preto de pata quebrada, no pós-humanismo, num filme noir, na morte por fim a pôr fim, ah, man, que seja.

leite-de-alface

Acabei. Veni. Úmido. Ofego. Que melequeira. Que amarração. E os arrepios entre os tensos e suaves. Prodigiosas horas, gozadas raquíticas de leite já ralo, panturrilhas a pino, o suor em cristais, espuma, assaduras: sozinho. Gostoso demais. Tô quitado de tudo, mas, também... [Se espalha pelo quarto como se nada, agora, apossante, se assanha em cheiro, sssssshhhhhhuuuuiiiiiiuuuuushhhh, sem vento que vem de fora, sem dunas, de-natural, aerosol, sutil substituto do odor diurno de sal e cimento enquanto suspira metálico o notebook, sssssshhhhhhuuuuiiiiiiuuuuushhhh, vigorosa ventuínha, liquidificador de poeiras, chiando entre as coxas, e chega leve ao nariz, cloro, usurpando o aroma do incenso que acendi, canela masala, como dita o costume, embrenhados, embriagantes, o incenso também mas não só o incenso esse olfativo distinto, mas também o líquido (também o incenso, mas mais-também o aleito), o visco, o iogurte desnatado, a seiva do pinus, meu conhecido, me lembrando de algo como o cloro, o cloro dos dias em que as ondas mornas da piscina olímpica massageavam meu corpo flutuando entre os exercícios pesados, lembro como fosse ontem mas fora há tempos, o silêncio agudo dos ouvidos submersos enquanto afora soavam os ruídos do mundo, sssssshhhhhhuuuuiiiiiiuuuuushhhh, Rihanna S&M e Alejandro da Lady Gaga ainda nas rádios, lembro, reverberando, só o grave penetra a água então grave eu era, e o balanço das ondas aquecidas, mecânicas, envolvendo meu já-tão-bem-estabelecido cansaço, nos minutos que o mover acariciava as ereções das muitas que tive, a virilidade sem pelos contra o tecido sintético e meu corpo enquanto boiava, o quadril afundando cada vez mais a esconder da superfície o volume na sunga quando no nado costas, fossa, todo torto, displicente, desinteressado, olhos fechados e ardendo, quando passei as tardes tendo a fluidodinâmica como a primeira amante, dos instrutores nem o rosto ou o nome, nas narinas o cheiro do sexo que descobriria ainda, cloro, com o tesão arrepiando a pele mais que a tensão do ar frio ao sair pingando pelo pátio, o reflexo involuntário e quem-sabe cultural de aliviar com os dedos em-pinça o vácuo que a água deixa nas roupas de banho, depois, nas duchas, ssssssshhhhhhuuuuiiiiiiuuuuushhhh, a nudez das primeiras possibilidades, ssssssshhhhhhuuuuiiiiiiuuuuushhhh, meu olhar derretido pelos corpos como a saliva dos chuveiros, shhhhhhhhhh, tão inocente quanto o próprio desaguar, quanto o como nos permitirmos sem parlatório mijarmos ali mesmo nos ralos, nas quedas das cascatas de pelos que eu, já molhado de muitas coisas além de água, queria, mas queria muito, tendo a moralidade a me aguardar com a pressa e as chaves na mochila, cachos brilhantinados de shampoo e, é claro, cloro, esverdeando mais ainda meu verde-dos-anos, aos poucos a vergonha sendo revelada nas sendas da consciência no caminho da volta, e no banho em casa, pelo tempo que levava pro sabão levar da pele ao ralo, me lavando das vontades, esfregando o desespero em virilidade rígida, empelotando a coisa toda numa gosma irreconhecível, numa época em que meu gozo não era mais que ânsia seca, polução só-pulsada, minha excitação não mais que a própria sede nos olhos, depois lágrima fina e salgada, antes dessa cor pérola, antes dos espasmos, antes da textura, antes das exigências catedráticas a que devo ceder pra-que, antes desse aroma inevitável empoçado no umbigo ou dessa viscosidade que gruda meus dedos e que às vezes deixo secar na palma como o escarro duma gripe que nunca passa...]

* * *

O cheiro. Me dediquei açodadamente ao estudo, anos que passei de mim a mim. Ainda me pego pensando nesse cheiro... [As lembranças vagas, iluminuras de visões rápidas emolduradas pela especulação mais escolástica, visão, o ventre dos sentidos, o mais estimado, o mais pueril, produzindo impressões hipotéticas de toque, de olfato, de paladar, ver, a quem vê, é ter experienciado, imaginação que naquela idade merecia mesmo ficar só no imaginativo-imaginário, eis que me aparece a puberdade, pé-na-porta, como punhos socando de dentro pra fora, e as minhas tardes não tinham mais os dedos enrugados, fui fugido de qualquer vínculo com vestiários e corpos em conformidade vestuária com o verão, já sabia distinguir o fino das formas cilíndricas, eis que o catolicismo e sua catequese, mais todos os clubinhos, por mais que dissessem que era errado, que era ruindade, que era o fim e o fogo, nunca me convenceram de não ser real, de não ser rotina, de não ser como água; sendo ruim, ou até mesmo banal, seria real. Meu maior medo sempre foi a irrealidade das coisas, que eu tivesse *off*. Eis que veio a teia do tamanho do mundo, bloquinho de rua sem polícia pra dispersar, em suas benesses e bestialidades. Se real, então, verdade. Porque a única prerrogativa do real é a irreversibilidade. Se existe, escolho. Dentro dos limites do possível, que já é outra coisa. Parece que desde sempre tudo começa com Greg & Joey Tape #2, *gònadagonia,* começou pra mim, internet discada, CD do AOL, alguns minutos de vídeo eram horas de espera, de buffer, a coisa tinha um quê de se arrastar por tardes inteiras em que o tesão adquiria uma elasticidade que, pelo que dizem as reportagens de hoje (ave-jornalismo, poleiro de galos que não cantam), parece que não se tem, por culpa da pornografia, por culpa do 5G. Sabe-se lá qual a desculpa da vez, mesmo com do-azul. Mentem, argumento doravantemente. Muito pelo contrário, argumentará eu, arauto da estética nostálgica (da estática vaporwave, diriam) de quem gostou de gostar de macho com macho no PC-tela-de-tubo da sala, a moldura de plástico ocreado, sob perigo maior, gozadas guardadas ainda frescas na cueca, o cheiro, a virada marota na tela por privacidade, lenda urbana da pornografia VHS, irmãos, disseram, meio-irmãos, nem chega a ser outra estética se forem só amigos, atores, se o meio é a mensagem, digamos, os títulos dos vídeos são a revelação de que o higienismo do patriarcalismo nuclear é um gerador de incestos, festa pra família toda, pornôs, pornôs, pornôs, Tumblr, Casa dos Contos, só aí que percebi que haviam puxado a arte latina pro moche e não havia mais segredos, não tinham mais folhas, nisso a literatura se fortaleceu em mim. Mas que isso-é-isso é só o bojo, que isso-é-isso fui eu descobrindo essas coisas com uma discada no perigeu dos anos zero, ponto-jpegs descortinando de cima pra baixo no lento da ansiedade juvenil. Em anexo, todos os contos da categoria homossexual nos assuntos (redatado), hétero, (redatado), pedreiro, chantagem, (redatado), Beto Carreiro World e (redatado), quando não (redatado) e (redatado), que formaram o meu senso estético. Nem toda depicção é romantizada, nem toda romantização é apologética. O segredo é entender que nem toda beleza é um tratado sobre o Belo, muito menos sua testemunha. Não é nada menos que maravilhoso como se forma esse tipo de pornografia, quando sai do roteiro pra telinha, penso sempre, horas gravadas à mesma premissa, uma festa, as bebidas, a necessidade, a heterossexualidade atuada sendo transformada em exceção performática, pois de cisão heterolítica nasce uma bixa, os títulos sempre str8-alguma-coisa, câmeras digitais aqui e ali como quem não quer nada, spy-cams, b8-alguma-coisa, um pau anônimo mijando no mictório e visto pelo buraquinhuinhuinhuinu, se eu também tivesse dinheiro pra uma RED o cinema brasileiro tava fudido na minha mão, mas enfim, algumas coisas têm mercado e outras não, e se segue assim, se a agenda gay fosse financiada com pornô, a nova ordem ia ser issa, isso tudo ou um cara vendado por dinheiro e a troca *in media res* por ator uma atriz, ou-e/ou-e van e pagamentos, um meta-engano com marca d'água, quanta grana, meu, e Hollywood só nas tetinhas, e Hollywood só no *cine-privê* da-coisa. Se a agenda gay fosse algo que realmente existisse, aliás, nada disso existiria mais. Igual nos banheirões, punhetas nos ônibus, pegações em público, e outras paradas são os HsH que fazem e os viados-cis que batem bronha, esse é o pacto da masculinidade. Tudo isso que digo e direi nasce da heteronorma. Existisse e galera só ia transar mediante apresentação da carteirinha. Coisa limpinha, coisa culta, coisa que não diria nada sobre nada exceto sobre a burocracia e pra isso já se tem a arte muito-obrigado. É isso que o conservadorismo saca e não pode perder, o macho-à-procura-do-mesmo. Onde um pai de família vai esvaziar o bago se o homossexualismo se institucionalizar? Não. Longe-de-mim. É uma ameaça direta à estrutura familiar que um cara não possa passar anonima-e-tranquilamente do estado de hipomania pro de tranquilidade pós-coito. Depois de gozado o creme-em-redução armazenado e curado pela longa e cáustica jornada trabalho-lar dos dias de proibição, senão na noite fortuita de qualquer-coisa-máscula com os caras, como é que ele faz as tarefas básicas, o mínimo social, tendo essa vontade na ribalta-duplamente-carpada da mente? E a galerinha ilustrada achando que é sobre a mulher essa pira toda. Achando que é sobre embuchar útero. Mas longe-de-mim falar sobre isso, também. Me espanta a ausência de teses sobre a indústria pornográfica, numa perspectiva mais desconfiada. Me espanta a ausência de teses de como o homoerotismo mais passável por Normalidade® heteronormativa, como homem hétero servindo pra gae servir, é justamente fogo-e-brasa do que há de pior na supremacia-branca e seus tentáculos. A galerinha ilustrada só é ilustrada, via-de-regra, pra ignorar essas coisas. A metáfora iluminista se completa aí. Mas eu? Entre a universidade pública e a pornografia? Quem mais me fez mal entre a universidade pública e a pornografia? A quem eu tive que mascarar mais pra fazer parte, entre a universidade pública e a pornografia? Quem tem um melhor argumento na direção de me garantir estabilidade financeira entre a universidade pública e a pornografia? Quem é que me permite errar, explorar, existir enquanto coisa de células e tecidos e carne que se expande e se priva entre a universidade pública e a pornografia? Quem, em suas liberdades e técnicas, me fez criativo, entre a universidade pública e a pornografia? Mas onde eu me coloco? Mas a quem eu reivindico e dedico tempo? Onde é que a militância neigra, liberal ou não, me colocou pra ocupar e educar e desconstruir e transformar e converter? O que é considerado como 'espaço'? E, pra mim o ponto mais importante, quem é ebony de verdade quando se diz ebony e quem tem que me arrastar sem ATV nenhum pra acompanhar a formação de bancas de avaliação fenotípica pra autodeterminação quando descobrem por acaso pelo número de casos que o que mais tem no 'espaço' é fraudador de cota então eu é que tenho que ajudar a sistematizar uma ciência e uma didática pra avisar o branco que é ele ou ela (muito-mais vezes ela do que se quer admitir) branco/a? Quem é BBC quando se categoriza BBC pras ferramentas de pesquisa e quem eu tenho que ir na lista de chamada conferir a categoria do SISU com a pessoa que eu vi passar por aí pra ver se fraudou cota? Quem, no fim, me fez doente, emaciado, famélico, trágico? Morrendo, matando, vendo morrer? Quem prefere o errado de mim e quem me cria novo, mesmo que errado, e, na chance de errar, porque erramos, há também o germe da chance de dar certo? Quem me gasta? Essa é fácil. Por causa de quem eu comecei a fumar tabaco? Por minha causa, vou me responsabilizar por essa. Eu assumo essa, *total*, e de-já redijo uma *nota de repúdio* a mim mesmo. Mas dá pra entender. Bem. Mas quem me recupera depois, quando eu já não sou quase nada, fumado? Pois bem, explana mais a pornografia que a psicanálise, tão mais. Se eu pudesse escolher entre ator pornô e pós-doutor, juro, a escolha tava feita. Mas antes que eu escolhesse a coisa tava escolhida por mim e eu só era um trem encavalado nesses trilhos fixos. O negócio é que não fiz muito o requisito. Malemá faço agora, cada vez mais, com esforço. Mas também não defendo muito a pornografia ou o erotismo nos em-geral, que se eu pegar pra mim é muito tenso. Eu não. É o chorume de tudo que preferem-não. No mais suave, no menos polêmico da coisa, como é, é tudo sobre o macho. Isso me agrada num nível corte lateral do meio do cérebro. A questão é que deve se conhecer o simbólico inscrito pra entender o longo-prazo disso, é tudo sobre a presença sinistra desses torpedos lançados numa explosão rabo-de-foguete de pentelhos, okay, Houston, uh, Houston, *I'm nutting in your butt*, tem um entendimento fino sobre as fissuras humanas um gang-bang gay de caras héteros, e a gente nem estuda isso? Pena. Das vezes que eu trouxe como possibilidade fui tido como perverso. Pena. Os mesmos atores de outros filmes, como *à prima*, numa epifania em eterno-retorno, go blue, Universitas Michigania, Artes, Scientia, Veritas, Pong-Beer, um documentário das infinitas dobras das inibições, como disseram que era na roça, como ouvimos falar que é e é mesmo, como os mais vistos por hashtag e por critérios de busca, as memórias da nossa infância, embora simbólicas somente, espero, e como nas repúblicas federais de Ouro Preto. Como no banheiro no andar de cima do bloco de aulas do ICHS, raramente. Raramente mesmo. Mas é de conhecimento público que o ICHS é meio broxa. Ou os milhões de amadores sobre uma coisa que me disseram que nem existia, 'tem disso não, moleque', tem-não, lóóóóógico, só no detalhe que eu sabia que sim, mas me convenceram, pela última vez me convenceram, nunca mais, não me convencerão mais de nada, sou desd'isso insolúvel. Depois que entrei nos grupos de punheta no WhatsApp eu perdi toda a inocência. E a esquerda letrada perdendo esse índice na tão-intentada análise-de-conjuntura, vou percebendo. É risível, a lacuna fica à mostra, simultaneamente psicológica e social; desbeiçada (a lacuna) como muitos de nós, que sabemos. A Normalidade® como é colocada e deve ser mantida, 'coisa de macho', um canal translúcido de interesses, na medida do possível. Mas nem se eu desenhasse pra essa galerinha teórica, nem nas esquemáticas lacanianas. Golpes de clonagem de cartão e notas falsas, esquemas de pirâmide disfarçados de cursos de aplicação na Bolsa, vírus insidiosos e trava-zaps, bots de fake-news, tudo que é esperado da cultura de zip-zop, até menos do que se espera, é o que rola pra além das old-de-velhas tendências que são o *sine qua non* da própria existência desses espaços, homofobia, transfobia, misoginia, gordofobia (com exceção-honrosa dos calos sexuais, os búcheps, barriguinhas de chopp), passivofobia (ninguém quer ver foto de bunda, não sem antes estabelecer uma relação de nossa-man-com-o-tesão-que-eu-tô-te-deixava-sarrar-no-meu-anel-virjão-tlg depois de horas de insinuações sugestivas suaves, conforme mais-suaves melhores, tão *en-passant* que quem deixa passar a oportunidade de comer o peão é considerado iniciante, se-é-que, mas, de novo, nem se eu desenhasse) e uma ou outra mais fobia sem nome de uso geral. Mas isso é coisa que assoberbaria o escopo da presente pesquisa, coisa-e-tal. No fim são uns cagões, cagões do pior genos, esses caras, a maioria dos caras, nunca disseram um *não* pra aquilo que o mundo esperava deles, quase nada, mentiras rasas. Cagonas também são as pessoas que não fragam isso, porque é óbvio. E os letrados, não pegando *essa*, se denunciam incapazes de leitura. A coisa tá dada, meus caros. Que tipo de cara comumente tira fotos de óculos escuros dentro do carro? Cês nunca sentaram no banco de frente dum Uber casado? Cês nunca sentaram no banco de frente de um Uber e a conversa fiada e o Halls na perna ou o pacote de Trident? Isso quando é roteirizado, quase *gp*zagem, rola muito por fora dos esquemas explorados, muito mesmo no improviso. Uns fenty demais na foto do aplicativo e até mesmo no próprio perfil pessoal pra não serem assumidos, mas são guarda-

-roupa-duplo-reluxo. As bixonas mais tcholinhas da doação-de--toba que jamais lascaram no andar dos tempos em desbeiçar as beirolas do anel, mas não, ops, retiro o que eu disse. É que o bom-discurso cuír pós-casamento-aceito e política-de-respeitabilidade diz que é de mau-tom expor, *outing is out-of-fashion*, Mary, ok, até concordo. Mas também outros boys, gays-Alok, cabeleleleereires, *clarissas-ancillae-Domini* com status de provérbios e salmos, barbinhas sempre bem-feitas ou nem isso, barbiezinhas, uma galera que consegue ser mais estranha no sentido que estranho assume nesses espaços, mais-estranhos-que, se servindo e resvalando no pior-do-pior da coisa, agressivando mina pra macho ver, no que nos interfere e oprime a todes, e tudo mais até mais que tudo-mais asa-sul acima até o Planalto. Até o Alvim deu pinta no momento des Willens dele, a exemplo do Scar. Não achei que viveria até o tempo em que ser viado ia ser a mais normie das coisas, a mais facha, que decepção, que falta de *flair*, que descomprometimento, só que chegou a época. Por isso que, apesar de terem prometido na campanha, os triângulos-rosa não chegaram, não chegarão ao menos nesse mandato. Mas, no-mais, os normais...]

* * *

Sede. Ansiedade, de novo, pra sempre. *Ó os óio do cu.* E a sede que dá... [Comi pera com teu leite, meu estômago não entendeu. Aquele dia. Lembra? E eu aqui, esperando que cê entenda. Boa. Mas cê sabe disso tudo, né, seu cretino, cê conhece como eu conheço o banheiro debaixo da rodoviária de BH e os cinquenta--centavos que custam-pra, o cardápio do grindr, o mais esquisito ainda do hornit, cê com essa carinha amassada de... Boa. Vai pro livro. Curte o quê? Extrema sede, só agora é que percebo e busco, sede real, não-nenhum floreio, só agora minha mente me monta e coloca órgãos em mim, vou tirando o dildo com muito cuidado, é toda uma fita o 'como' depois de uma gozada com o dildo no cu, um dildo que até então tá bem ok nas fisiologias de cabimento, nada muito exagerado, casa dos quinzecentimerson, mas aí é gozar que o anel aperta e a coisa fica toda cirúrgica, a próstata hipersensível, mas de uma sensibilidade que não é tão gostosa quanto antes, os lábios da bunda inchados e ainda puxando (eu sempre rachei demais da expressão popular *repolho roxo*, me pega toda vez, creio apropriada, *apropos*), os músculos sem muito controle, se contraindo, um franzimento como o da testa, piscadelas indecentes, cúmplices, coisa toda muito-da-incômoda já que o bom-da-coisa já passou, e já de pé, equilibra negão, tá osso, já de pé encosto no mundo com as partes ainda limpas do corpo, as secas ao menos, cotovelo, costas-do-pulso, quase corro, o perigo de inclinar pra frente nessas horas, calçado de saltos de ar, metatarsos e falanges e panturrilhas que mesmo mixas são minhas, pra que lhes quero, e quando há sede, quando me cedo a isso porque nessas horas não é muito bom ficar hidratado (por causa do mijo, preciso explicar, tem quem não saiba e há tempos recebo cartas dos nossos leitores nos execrando pelo hermético e inacessível e difícil-mesmo, um aparelho excretor é colado no outro {vide diagrama 6.9}, *you see,* o socadão em um desbica no cutucar-leve do outro, a próstata decidiu por si acumular funções pra além do que tá na carteira de trabalho, e ficar martelando a bexiga cheia, a bexiga com qualquer coisa aliás, tiro e queda, coisa-feita, pa-ti-pum; não é nem que eu não goste de me mijar, acho que falar disso é um pouco demais, acho que a gente tem que diminuir no parassocial, mas nem é isso, a nível de exemplo mesmo, hipoteticamente, vamos imaginar que a escrita é coisa ficcional, vamos fingir, é que eu tô na cama né, é que eu tô nos aposentos e os filamentos e o algodão, que não é dos finos então vai-bem na máquina de lavar, mas tem o colchão de mola, e se um mijo for parar no meio disso não tem nada com poder suficiente que o convença que se-saia, ferrugem, cheiro, mofo, toda-sorte de coisas ruins, toda-sorte de complicações suburbanas que os meus dodóis me deixam na dificuldade de resolver e a falta de grana pior ainda, então é melhor passar o dia mais sequinho, se-dá pra entender, o método de escolha é desidratação propositál, que aí é bater a vontade de mijar que a pouca quantidade de emergencial dá o tempo de tirar o pau-de-borracha, botar uma roupinha se tiver alguém em casa, hoje não, hoje tô sozinho, e ir mijar sem muita pressa, sem muito desespero ou pingadelas, ou usar uma toalha de *cobre-vergonhas;* que auxiliada pela pouca quantidade de trampo consegue segurar bem a paradinha por certo tempo), o alívio da água quando-na-sede pouco difere ao da mão direita semifechada na punheta, quando no tesão, que aprendemos por conta, nem sempre sozinhos, eu sim, nem sempre a direita ou a nossa, eu a minha, tive uma infância solitária e ó no que deu, a seco ou saliva ou creme, nada significa senão a sensação, no fim suor e sêmen, limpar ou não limpar, eis minha mão, será mais nobre secar com calma, a pele gozada pelo desejo feroz, ou lavar em água contra o esporrar de pederastias, e, chorando, se arrepender? Péssimo, vai morrer só-rascunho. Eu racho demais de 'pederasta' e 'malakoi'. Imagino na voz do Wagner Moura, o Hamlet, Hamlet, digo, e sinto escorrer uma última gota de fundo de uretra, infelizmente no piso da copa, lavar ou não lavar, eis o meu chão. Engraçado, tudo que o corpo produz parece variação de catota, o cuspe, a cera, a remela, a gala, aquela coisa begeada ou amarelada que nem a chuca tira de dentro do corpo e segundo diz a saúde não devia ser mesmo tirada, probióticos, Yakult de cu, um negócio que nem cheiro tem, talvez um cheiro de terra molhada mas nem isso, tem coisa como a merda que não parece com nada mas é porque não é nosso, por-aí e assim vai. Diz-a-saúde muita coisa que eu ando ignorando ultimamente. Mas é por isso que a gente dá um jeito (também por causa da cama, como foi dito). Meo-deuso--nossa como é difícil beber da água que desbica fresca e clorada da pia, ainda mais quando passada no filtro-de-barro, a preguiça de encher, a preguiça de estar vivo, pós-pós como agora, ainda não sei se é certo ou não limpar as velas com açúcar. Parece, também, que tudo acaba em Greg & Joey Tape #2. É só eu botar que, pimba, antes da família deles chegar. O que é que querem ver dançando por dentro da carcaça do meu corpo, que fantasias querem que eu sirva de fantoche-pra, que tristezas devo expurgar pela possessão? Não, eu não, mó paz, passando-bem e passo essa, no mais meu silêncio fala por mim. Cala o cagador, eu só te peço. Não. Quando eu me pego compulsivamente pensando e cada coisa ciranda-fi-xa-sem-soltar-a-mão-da-outra eu sei que é a ansiedade com o braço até o ombro dentro de mim e me fazendo de marionete-oca dessas de botar no colo e falar por ela com a boca toda torta, ou toda ela embaixo da mesa e acima dos moldes do palco, atrás e à frente, espraiada; eu tenho em mim a obrigação de me segurar. Mas é difícil. Cada vez mais difícil conforme menos sóbrio, cada vez menos sóbrio conforme mais difícil. Finalmente depois de tanto me volta ao olfato o adocicado do tabaco-fresco de quando fumam perto de mim, é o meu maço me esperando, senti, vinte-

-metros de distância, o cheiro do meu maço, é esse o aguçamento periférico da vontade num corpo que se crê gente. E a flor do cigarro é tão adocicada antes da fumaça. O *nose* do cigarro é minha boca salivada. Outra apreciação. O que eu pensava? Ah. Ensaiemos. *Caso 1*: um cara é bróder do outro, eles compartilham um *bond* de tipo específico do subgênero humano-heterossexual-masculino, aquele *faux-tribalismo*, o mesmo time, as mesmas roupas, os mesmos gostos, gozos, as mesmas angústias, e as diferenças que porventura existam são mais caracterizantes que distintivas, *le temps les unissat*, carque sotaque nisso, como se diz, até que então, no noturno da coisa, surge a fêmea, embalagem e presente, com suas coisinhas, com suas frescurinhas alienantes, é o que costumam achar, com aquele jeito de querer monopolizar a atenção do macho e tal e tal e tal e tendo as escrituras como valise, clássico; eis que surge *a Bíblia Rosa. Caso 1a*: os dois se viram como podem, se veem como podem, possuídos na cultura que possuem, trocam apadrinhamentos, jogam nos dados das relações sociais complexas se as mulheres serão amigas ou rivais, casam os filhos de casalzinho na quadrilha e dão suas escapadas muitíssimo manjadas pra viverem juntos a juventude perdida. *Caso 1b:* tudo de anterior, mas eles *fodem. Caso 1c:* complicações no paraíso, perالá-peralá, é que por algum motivo sacana demais pra qualquer tentativa descritiva, que, por rasa, escapa sem deixa, coisa só entendível na *subterrainedade* de viver um desses casos, um desses dois-tais é incapaz de seguir o fluxo afluente da heteronormatividade redentora, e não é que não se sinta másculo, não, não é como se a bilheteria de Transformers não tenha as marcas secas dos respingos do seu suor, nada disso, pelo contrário, pela desmedida, é que o chauvinismo que é pra nós o que o chá foi pros ingleses e o chauvinismo mesmo foi pros ingleses fez com que ele se estranhasse no substrato mais profundo, perdidinho, coitado, a nível *ôntico*, desconfortável a rodo na presença compulsória dos xis sem ípsilon cromossômico, tanto que só *mesmo* a explicação biológica e ultrapassada do duro-no-duro dos macacos se coçando há milênios atrás, só ela, por essencialista e conservadora e misógina porque transfóbica, extremamente imprecisa porque transfóbica, veio a lhe calhar como desculpa do por que é que não (com transfobia e tudo, ressalvamos) rola de ficar entre as mulheres, o Outro; a aulinha didática das diferenças hormonais binárias entre o *rosa* e o *azul*, o falo como tabu e fantasia, a aulinha didática das diferenças anatômicas entre um Ken e um Max Steel; a crença mais que emocionada de que fazer vários nadas no tiro de guerra lhe valeu a vida em significado, entre parcerias e passadas de cartão passa a recriar do cru a bagagem de baboseiras que os homens sexualmente satisfeitos só repetem por serem calhordas demais, não por acreditarem, só por lavarem as mãos, só por se beneficiarem no macroeconômico da coisa, machismo no-dos-outros e o mentolado-olhar com que dizem isso entre si, mas a *esse,* nesse, o do caso, é virada a chavinha da crença, eis que esse cara se cerca de outros caras que aos poucos são fisgados, sintam o peso da palavra, *fisgados,* pelo sexo-essencialista-feminino, pelas dinâmicas sexuais quais o papai-mamãe moderno fomenta na grande-cidade-mental, já que o capital jogou as velhas normas pro alto e disse pra si que mulher fora do *oikos* (pra quem tá com o classicismo em dia, com o classismo também, não sejamos calhordas a ponto de estabelecer uma diferença) fora dos tempos de guerra é desperdício, desperdício econômico até, *oi, meninas, turubô,* no tutorial de hoje as louças e vasilhas e pyrex, afinal alguém deve ficar pra lustrar as balas na ausência das pistolas, nada disso é novo e nada disso é interessante de se discutir mas explanando linearmente é constituído o universo simbólico íntimo do personagem, resta saber se ainda cabe considerarmos a idade-média como oposição simbólica àquilo que se tornou o capitalismo como status-qüe-cá-estamos ou se essa primeira fase já era um capitalismo-outro desse que nos cerca, ou seja, que sejamos opostos ao símile imberbe do nosso próprio tempo, mas é tema pra outro unboxing, o assunto escapole pelo melado ao lado da foto-do-prato de outro comedor, tudo barganhação argumentativa, no fim esse cara percebe que os outros caras vão começar a perceber o tamanho do insosso que é ser o-chato-do-rolê por quaisquer-motivos-sejam, que é passada a época das casas-de-árvore gendradas por plaquinhas, vão perceber que bros-fore-hoes não se sustenta quando no derradeiro do dia o que se quer por perto é, além duma pessoa, além dum *ser*, além dum alguém e os ataques-de-pelanca que caracterizam tudo aquilo que vive e chuta, não importa gênero, tudo aquilo que vole e *love* e o que é de mais insosso no se-ser, além, pra além da valsa sobrenatural do mágico-da-coisa das postagens no Instagram, se quer por perto quem com que se transa. Geralmente. Não todos, mas geralmente. Quando cê se relaciona com alguém, cê quer alguém-com-quem-se-relacionar com o qual se sinta de-prontidão apto a gozar afluente e fazer-gozar em mesma monta, porque há a vontade, porque é o tempo-livre, e um cara querer só andar com caras e falar de caras e reclamar como que o binário-oposto só quer tirar caras de caras que precisam andar só com caras porque-caras-e-tal é bandeirada demais, ôôôôõÕÕÕ celoko curri kkkkkKK, quando-é-que-ele-dá-uma se perguntam sem olhar pras mãos amarelas, porque é fixação, ser nesse nível é descortinar a fixação, é muito específico, enfim, retomando, resumão, a ilusão buraqueira, quando não ilusão, clama por uma transa hétera como na velha-guarda resguardada pela desmemorança de que em meados de mil-novecentos-e-as--primeiras-calças-cáquis era um trampo do-caralho embuchar patroa, há de se argumentar a favor da bissexualidade testosteronada mas os dados são inconclusos demais (há quem diga que tudo é inconcluso demais, dizem nas ruas que pra homem qualquer coisa basta e ele ainda lambe os beiços, se Deus disse {na voz do povo, que cochichada é chaterreada por nós, as nossas etc., a espalhafatação é o dilaceramento dos muxoxos no que diz respeito à macroestrutura}), então, mas o ponto, que nem é esse, é que até piadas de loiras caem na moral da temperança, fica óbvio que ele, o cara, é incel, pronto, *nasce o incel,* é datado o incel, essa *epistéme,* a seguir se esmiúça: não gosta de mulher, se compara com outros homens porque tem a masculinidade de referencial límbico, simultâneo conforto e compulsão (compulsão, no caso, *aquilo que* desconforta um corpo em pausa e o incita-a, não é isso o vício? não é isso a *vontade?*), eis o incel, piadas sobre dismorfia e suicídio inseríveis a gosto, nem tão-piadas, a pós-ironia satírica como bandeira-política (irônica-ou-não-ironicamente, surpresa nenhuma nisso) já se deu falência, se esses rolês hipotéticos forem frequentados por mulheres que falam e percebem e se irritam, um total de cem por cento delas e de todo-mundo, aliás, o óbvio-geral é que esse cara é um incel e esse cara percebe que os outros caras nutrem cada vez menos ódio basal contra os índices de feminilidade e cada vez mais contra a gastação de onda (as lésbicas que digam sobre as femcels, aqui eu me dedico ao que é meu) em si e em outros, e misoginia é nas muitas das vezes uma das maiores delas, gastação-de-onda é uma parada tolerância-zero em círculos com droga, mais um ponto pras drogas, menos um ponto pros caras fixados em caras e na 'cultura de caras' que passam a perceber isso, quando convivem com mulheres, quando estão presentes no presente, tão-mais porque a mulher contemporânea foi castigada com a missão de ser pedagoga e terapeuta disso tudo, esse cara percebe a partir de um tempo que apesar de, segundo ele mesmo, completamente diferentes de si, as mulheres (até essa discursagem de 'as mulheres' cansa um pouco, não importa o argumento) possuem demonstrável inteligência e especula por espelhamento que elas estejam competindo por campo, quilos de grama por número de colegas, com ele (e o homem é um animal que foi cruzado pra ser competitivo nos últimos quinhentos anos), o que esses eufemismos querem representar é que esse cara pensa que os índices do feminino corporificados em mulheres ou outras corpas tão de caô pra roubar os broder dele (meu, *os broder dele*), é isso, vão pegar o que é dele, é a destruição-da-família, é meio sobre isso, família enquanto componente de ingresso em clubes, família enquanto índice unificador entre eles de direcionamento e significação, família enquanto a posição normativa que exercem-na, mas não se diz amar, não não, broders, o cara sofre nessa, não se diz amar com mulheres também, mas o fodido é que não se diz amar onde de fato se ama, os bróds, e ele vai encontrando no feminismo de senso-comum o bode expiatório perfeito pro contrataque dessa, entre aspas, agenda, fechaspas, mais, esse cara percebe, talvez por último, que esse embate teja-sendo desigualado pro lado de lá por uma coisa abstrata e difusa comumente chamada de sexo, ui-ui, do papai-mamãe ao bdsm-dominatrix, todas as variantes, muita vazão penetrativa, muito coito, muita safadeza, como diriam, sendo justamente nesse baú carcomido que esse cara encontra consolo, no conservacionismo do *fugere urbem* gasto, do escolhi-esperar minha ama, no reacionarismo das renovadas velhas-novas normas-protestantes, dizendo que é preciso proteger as mulheres dos homens e delas mesmas, trancafiando a sexualidade feminina em caixinhas de joias e relíquias familiares, o vulgo usa muito o termo *caixinha*, o que torna a coisa toda incômoda pra todo mundo, torna todo um mundo, por projeção, mais sexualmente frustrado, beware quem começa a dar as cartadas da proibição, mas, logicamente, é um mal projetado principalmente pra elas que varrem (nesses espaços, não percamos de vista que aqui se discute o que os cis-het ficam fazendo quando a gente não tá olhando) enquanto eles piram. Porque conquanto elas não tenham sexualidade, a sexualidade toda é *deles* e *entre* eles sem fiscal ou guia. *Caso 1d:* esse cara, além de não gostar de mulheres, tem tesão em homens, e, de forma enviesada e completamente surtada, ele *já sabe* disso. *Caso 1e:* de que talvez o caso anterior seja deveras caricatural em sua *patogênese* e que talvez o problema seja mais voltado ao self do que externalizável pra malha social, o homofóbico sendo um viadinho enrustido já tá gasto; talvez ele só não se sinta másculo mesmo, os palavrões do século, *emasculado, beta, cuck,* ainda sentindo a necessidade de ser, *másculo, homem, bruto, rústico,* e que, talvez, talvez por algum erro no que dizer *matrix* numa hora dessas pode fazer de alegoria, por alguma centelha de desclarecimento, ele seja capaz de assumir pra si mesmo ser capaz de diferenciar boniteza e feiura, dentro dos padrões, das normas sociais, no corpo masculino, e aí, no movimento prescrito pelo reconhecimento do outro, ele se olha no espelho, e se olhando no espelho depois dessa descoberta vir o choque, acaba vindo, de se perceber em falta, percebendo que é muito provável que ele não brincaria de passa-cartão consigo mesmo, não comentaria 'me engravida' nas próprias fotos, se fosse outro só que o mesmo, se fosse os outros sobre si, nessa projeção comum que se faz, se-dá-pra-sacar, se é que faz sentido, que é muito mais provável que sua aparência cause mais desinteresse que aquela euforia fodida e indisfarçável que a beleza mesmo fora-dos-padrões causa no suadouro dos vestiários, um arrepio, um canto-de--olho que não tem perigo de ostracismo e medo de ser pego que o pare, e que talvez as mulheres sejam também pessoas e também se desinteressem por ele na mesma medida que ele se percebe desinteressante com relação aos homens que ele acha atraentes, ou somente interessantes, ou somente *inspiradores,* mesmo sendo hétero, mesmo se-dizendo, autoidentificado-como, sem julgamentos, sendo ele um incel, ainda, no caso. *Caso 1e inciso primeiro:* ok, ok, nem todo fascista é cabaço, vice-versa. *Caso 1e inciso segundo:* muito disso é meio-que-datado porque hoje em dia os *polis*, os trisais e quadrisais, e mesmo os monos, todo mundo tá, lento demais, num vagar invejável, se liberando pra foder *consentimentemente* quem se quer foder-consentimentemente dentro ou fora da estrutura de confiança da política de respeitabilidade representada aqui pelos relacionamentos heterossexuais ou heterorientados ou qualquer coisa mais ou menos nesse nível; então pegar homem namorando mina, só que sem o teor secreto da coisa, é onde muito da descoberta tá se dando hoje em dia, por mais bifóbico que pareça ser, estar-de-casal serve de segurança pra muita gente, ainda, e que-bom pra eles; mas fica falado no sem-falar que a estrutura mononuclear branca tá arrastando o rolê há séculos. *Caso 1f:* incomoda muita gente, 2f, incomodam muito mais, 2f incomodam muita gente, 3f incomodam muito mais, ad inf. *Caso 1g:* se todos os fascistas são viados ou se foi a conjuntura do Brasil que fez os nossos serem, eis-a-questão, eu não sei, mas intriga. *Caso 1h:* uma-hora-de-falazada e nós nos garantindo de novo que não é só o século vinte galgando (de novo) o galvanizado das moleiras e nós aqui extrapolando uma possibilidade pelo enviesamento-total, todos os problemas cientificamente relacionados, restaria, se for fato, saber se é dismorfia corporal combinada com homofobia internalizada ou pura mal-caratice associada a um ódio fodido pelas mulheres por serem *textbook* essencialmente complementares ao que eles fazem de complementar, um sujeito designado masc4masc ao nascer ficar nessa fuleiragem de enganar mina, pra além dos socialmente Normalizados®, pirando de azulzinha. Pra quê ir tão longe? Pra que ir tão fundo, apesar de que, pra maioria, nem tão-fundo assim conseguem. *Caso 1i:* é bem-sabido que muitos ficam nessa, moram e morrem nessa, e todo mundo que é do mundo sabe que homem que se acha o macho dos machos, o Macho®, que homem que se entende bem-e-confortavelmente como homem gosta é de coitadinha. A engambelável. A trouxinha. A que se contorna e dobra e trança e põe certinho na gaveta. É pra isso que tanta mina tem um gay-poodle de estimação, é pra levar pra casa qualquer dia num almoço ou jantar segurando o celular, esperando o parecer, o relatório em-laudas. Elas querem que a gente leia da língua que o patriarcado segredou delas. 'Cê acha, miga?' Eu a miga, no caso. E se eu achar? E se eu for achando por aí? Onde é que eu vou almoçar depois? Quem é que eu vou mamar no sigilo depois que cês se separarem e ele não te tiver como o ticket que paga no débito as fugidas dele pra uma vontade que ele não tem coragem de ter? E não, em análise mais criteriosa, os italianos também eram umas bichonas e dos nossos muitos são ítalo-brasileiros. Pergunte como eu sei. *Caso 2:* ou a heterossexualidade é real, naturalmente-compulsória, *all-encompassing*, e nós nunca nem ouvimos falar de problemas quanto a isso, nada previamente descrito jamais aconteceu, fim. Não, tá tudo bem. Relaxa. Tá tudo bem. Pode deixar. Pó-deixar, sério. Eu, por mim, sou da vibe de não *precisar normalizar* nada, não precisar *ter conversa* nenhuma. Se a gente tiver que acreditar nisso, tanto faz. Eu sorrio e aceno demais. Tô velho demais pra ter surtos de crença. Fica como-isso e seguimos. O que eu queria era transar com homem, só, porque é esse meu lance e com isso, também, eu tô de boa. Tô transando, não importa o que falem. Com esses mesmo. Não queria ficar tirando prova da verdade saturada nas axilas da alma pelo tecido das peitas desses caras. Desconhecidos. Amigos de infância. Héteros. Os melhorzinhos já usavam a *linguagem* do bi. Em quanta treta de bom-discurso eu já não entrei em boteco perto do campus, quantas minas bi descascando as camadas da minha bifobia enquanto os héteros que me comiam na-calada iam passo-por-passo dando de costas. Sou eu que tô com a borracha? Sou eu quem segura o errorex? Quem sou eu pra questionar? Não é mesmo? Mas também não é da minha conta, nada disso é da minha conta, nada disso é problema meu, eu não queria ficar tirando prova do que é-que-era-que-era, já que no fim todos gozaram em mim ou comigo. Eu já falei que tô de boas. Eu precisava? Não. Empiria lá é pira de se ter? Não. Ou. *Ou, o mais provável e o menos sentido, Caso 3:* qualquer sorte de síntese. Eu sempre gravitei ao redor e fui suavemente gravitado de volta por machos bissexuais. Não quando eu tô sendo malhado, óbvio, aí sou eu à minha sorte, mas quem sabe um dia. A conversa meio que se monta por si mesma e nessa carreta eu sou só uma relíquia anacrônica de tempos piores. O que fica desse *brouhaha* é, creio, uma análise. Se todos os homens são bi, *cousa* que o tumblr vem tentando emplacar como argumento desde antes da internet ser coisa sem a qual não se fica, e, até hoje, pensar assim não levanta menos sobrancelhas, que sejam sobrancelhas só-pensadas, não me interessa. Pode parecer que é essa a minha causa aqui, mas não, *juro,* não. A mim não me interessa. Ou eu sou muito bonito, e pode bem-mesmo ser isso. Que eu seja atraente demais que até-e-até liberações e destraves. Isso me elogia, é um argumento contra essa bissexualidade universal porque incumbe a mim uma certa magia rasgadeira, mas me elogia, então tá ótimo. Fazer o quê? Já conversei com a moça do CAPS sobre a minha megalomania, nem pílulas me deram. O que eu não posso ignorar é o real e tátil da coisa, o que eu não posso é pagar de louco-sobre, de-dentro dos meus olhos, é que eu sou, de fato, atraente. Tem cara dando em cima de mim que eu vou nas minhas gayzinhas comentar-sobre e eu ouço delas diagnósticos de loucura, porque elas-mesmo, disponíveis que são, nunca sequer-souberam ou saberiam. E eu nem preciso ser bonito, não é como se não tivessem outras coisas rolando pra mim. Tem caras aqui no corpóreo do meu real, acompanhados das namôs e se identificando como héteros (inclusive-e-principalmente pras namôs), fully-plenamente bomba-inteira pra um assunto nem-sexual que eu tava mandando *na amizade.* E eu reparo, porque acima de tudo eu sou rato e matreiro. O negócio é que, em nível de argumento-que-faço, pra mim tanto faz se eu for uma invenção da indústria têxtil pra vender estruturas mais reforçadas na braguilha ou se é o natural e anticapitalista do masculino selvagem (me poupem a problematização da palavra) armar barracas no meu nome mesmo na ausência de chuvas, o que eu não posso ignorar é o sensível-e-tátil. É bem anos-oitenta viadinho que se-passa de doido apesar dos sinais, eu não, imagina, brega, *passé, démodé,* old. Eu, de fato, agora é opinião minha, acho que a sexualidade se revela na atração por pessoas feias. O que é mais um voto pro bonito ou pro bissexual, a depender do júri. Deixo por-exposto o meu caso, meritíssimo. Outras coisas me fizeram crer que sim (questão prolífica a ser explorada em futuros trabalhos, tema passível de análise em maiores projetos de pesquisa), tanto prum lado quanto pro outro, quando não a ambos. Contudo, inconclusivo. Ao menos essa é a minha experiência...]

* * *

Acendo um cigarro. Vou esperar cair a primeira brasa pra mijar de novo, até a segunda brasa já vou ter voltado. E pimba no cinzeiro. Pumba-la-pumba. Tenho problemas com bater-brasa no auricular da privada, coisa pra se analisar... [Desde os tempos imemoriais em que não éramos nada mais que alívio cômico em programas de auditório, nós, as bixas, as xixas, somos, enquanto personagens, enquanto arquétipos cuidadosamente cinzelados, a esperteza-em-pessoa, a politropia, as magas, as lidas, algo como as brujas, algo como o que as minas het-cis-brancas-místicas querem ser. Alguém há de avisar a elas que elas não são. Alguém há de destruir a economia extrativista das gay-chaveirinho. Nós, as nèra, as entendidas, as sapiúdas, somos o pecado, somos o de-ruim a ser continuamente queimado até sem-previsão. Na negação profunda do cristianismo, de muitas outras tradições, também as não brancas, somos o sem-lugar. A escala é concisa, quanto mais mulé a xixa é, mais matreira e sorrata, mais pra-lá, mais esquisitah-e-engraçadar, por aí vai. Retiro o que disse sobre as netas-das-netas-que, talvez sejam, o feminino é um índice disso, até mesmo o inofensivamente feminil. Aí seguimos contrariamente dildo-de-marfim abaixo até o encubado que é a base, o arroz-e-feijão, o truqueiro, o trabalho essencial, os eyteiruwyxsh, os que passam-por, os que se ninguém nunca pegar pra ver os vetores das retinas não haverá provas de que não sejam, mas quem vê pra onde miram visão verão, sabem, do outro lado do espectro do feminino, no forte da corda, lá estão os lanosos, que é todo oloko-man-durão-aqui-por-nada e tal e pimba, a burrice, o sorriso manso entre seriedades falsamente solenes, *go figure.* Das que são os 'buracos' aos que são os buraqueiros rola um degradê de inteligência que serve ao propósito (todo clichê serve a algum propósito, escrito esse lascado em grego em algum lugar de pedra, anotem, os gregos de braços-cheios de coisas que não eram deles, re-revelando verdades, passando-pra-frente no telefone-sem-fio) de justificar que eles foram enganados, aproveitados, 'seduzidos'. Uiuiui. Eles só tavam lá e veio Lúcifer os ludibriando com frutas e tubérculos na camisinha. A bixice é um índice de sagacidade, dizem as piores de nós, as mais sabidas. A professora (redatado) tá passando a listinha, coloquem o nome e o número de matrícula. Certificados de quatro horas, isso. O de-praxe, pegar depois na secretaria. Canetas a postos, masterclass, masterclass, intensivão, *o-vô-tá* ensinando como analisar de perto a cultura brasileira, dois-pontos, pau-no-cu do Caio Prado Jr.; ponto-dois: a bixice é o tinhoso, teimando, a bolsinha dos ardis, a bussy, a cuceta encapetada, piscando pra olhos que mesmo secos não se atrevem a. Por isso que as njilas e Marias são das nossas, somos, também, o veludo, o cetim, a seda, a senda-de-perdição. São mais das trans e travestys, mas são também nossas. Pelo menos almejo que sejam, peço cafunés como se fossem. Pra-todos-os-efeitos vou apartar os conceitos-terminológicos de bixa do de omi (também dito macho, boy, bro, stallion, milico, cafuçu, chucro, lumpenproletariat-ascendente {já que hoje em dia a gente sabe quem é que fica com o telemarketing, até isso sendo um privilégio hoje-em-dia}, daddy, senhor, papai, ocó, aquele-lá, PA, coleguinha, irmão, man, bruto, patrão, bofe, garotão, intercambiavelmente), só a nível argumentativo, falsa-dicotomia (e quem ver a problemática inerente nisso ganha um atestado com negativo em miopia-semiotica, troféu-joinha, oculista é aquele que cuida da ótica?), anedótica mesmo, há um blur, há fluidez a ser evidenciada et-muitos-ceteras, muitos mesmo. Mas o que mais tem são desses, os heteronormativos, os que mamam no sigilo. Um teste rápido: se cê for bonito e passável como ocó, dê moral. Se-passe-por. Logo vai ver. As bixas vêm, old que vêm, normal virem, mas aí cê vai ver quem rodeia, quem tateia, quem fica esperando na calçada sem se atrever a atravessar. Não tem muito mistério ou miserê. Se for dotado, deixe marcar nas fotos. Essa vale ouro, só dou de graça por causa da esgarçada bondade do meu coração benéfico, puro, singelo, e amigo. Bota pro lado e deixa meia-bomba. Se for maromba, foque em abs que é o enquadramento e flexione nas fotos. Tiver uma mandíbula babadeira, sorria em 3/4 do plano da câmera e verá. Quando déjà nos assuntos-puxados, quando já estacionados num nada-a-ver de DM elogiando por subterfúgios, prometa sigilo, inspire confidência, sugira, sutilmente, a curiosidade. Nada off, nada tarado, nada que avance sinais. Se faça, finja que nunca viu, se finja jogando damas com peças de xadrez, burrinha-mermo, inocentona. Verás. Conquanto sejam eles a se moverem primeiro em todos os giros, cê vai sentir o cerco. Enquanto te sintam somente receptivo, te laçarão, foram socializados pra isso. É *sobre* isso. A depender, é lógico, de que cê seja boniter. Caso houver dúvidas quanto a isso, aborta missão, caso houver problemas nesse campo cognitivo, melhor realocar esse ímpeto pra uma terapia. Atração é o X da questão nos termos do Consumo sendo *patrono* das coisas. Conquanto (hm), é lógico, seja másculo, apesar de que hoje em dia normalizaram o uso de esmaltes e afofaram levemente o conceito de masculinidade. Quem sabe na próxima geração normalizem também o uso de acetona, aqui insiro uma manifestação minha contra as unhas carcomidas. Na dúvida, evite os desconstruídos, porque embora a desconstrução seja o armário perfeito pra querer e fazer e não assumir, embora alguns se especializem nesse nicho, a grande maioria dos enrustidos são trad-masc no mais bitolado possível. Qualquer um com meia hora de catequese sabe bem que Deus privilegia os idiotas, o reino é deles, eles dizem, os pecados também, sem culpa, sem culpa. Só se arrepender depois. E somos testemunhas de como se arrependem. À pátria honrai que a pátria vos contempla, certo? Não, *infelizmente a eles,* menos que certo. O problema é que não importa o quão forte seja o desejo, quão tacanhamente tenso e tátil seja o tesão, porque a gay sente, a gay se sente sentida. O corpo-preterido é uma parabólica pras ondas do desejo. Mas não importa, por mais imponente e incontornável, por mais que se vista do verbete 'amor', a gay não pode se debulhar de gerúndios na espera de um futuro que dependa do cara de-repente virar gente e se entender-gente e entender o mundo e se embrenhar no mistério das coisas, a gay não pode investir valor nenhum nessa espera nem valor nenhum nas migalhas que lhe são dadas pra que continue esperando, no fim vai dar merda. Se o cara mente que é hétero (aí conversas sobre flux, caixinhas, sociedade de rótulos, influx, Kinsey-Foucault e cia., os mano-só-senti-isso-que-eu-tô-sentindo-c'ocê-eu-nunca-tive-

-tesão-em-homem-nem-nada-cemporcento-hétero-até-tu-me--liberar-a-rodela não tão nem aí pra degradê nenhum como atalho visual pra alguma forma de nivelação e-e/ou-ou pertencimento, e isso eu te garanto, tudo isso fica pra depois, tudo isso, muito-que--válido, ou não, depois), se o cara esconde tooodo esse aspecto de quem ele é e do que ele quer pra si mesmo no tempo livre untado de manteiga, dentro do próprio crânio e dentro dos vestiários da mente onde sacos suados e caidões são o pêndulo hipnótico da revelação do mais proibido, se eles construíram toda uma fachada pra despistar essa má-lida, se eles destruíram a própria vida, o que sobra? O que, no fim, vai impedir que ele destrua a vida da gay abobada que tá lá agachada achando que ele inocentemente é só um ignorante incompreendido que precisa de muito carinho e denguinho e século XXI e *x* e *y* e *z*, o que vai, depois que o cara já destruiu a *própria* vida, convencer ele a não passar-mal ao risco de tudo que se coloca a favor dele e do descobrimento de quem ele é na maior parte do tempo? Isso sem falar do país, passo essa. O que sobra de uma vida sob a bigorna do capitalismo mais *streamlinearizado* senão putaria livre e inveterada, o que se sonha, o que todo o esforço de se manter vivo é sobre? Tô falando disso: cadê a pessoa se ela não se impõe em nome das suas pulsões? Ah, cê vai salvar o *xucrozinho*? Cê vai pegar o boiadeiro, o segurança de supermercado, o herdeiro, o empreendedor, o desempregado e o servente-de-pedreiro pra cuidar? O lugar da *homossexuéllen* é, então, um lugar de *cuida*? Ai meu deus, a chave do espiritual e tudo. Gay, cê destrancou o seu lugar utilitário, apesar das aparências. Gay, cê foi efetivamente dessexualizada. Quando a gente começa a ter função é que fica foda. Em comunidade sim, mas não por isso. De novo o meme de 'nós, as gays afeminadas'. E o espelho?

Aí o corpo-pretérito foi uma parabólica pras ondas do desejo e a gente que tem isso como herança tem que se virar em transformar toda essa inutilidade em coisa-útil. Porque gerações-e-gerações inteiras de homens que eram homens nasceram e morreram tendo tesão em outros homens que eram *homens* (sem tempo pra discutir o colonial do binarismo, basta assumir que sim e seguir) e não fizeram nada sobre isso, talvez nem soubessem conscientemente, é o ocidente, é a supremacia-branca, more. *E daí?* É o que tem pra ontem. Não se salva nesse nível o *indivíduo.* Ou sentiram o fogo e o deixaram queimar, mas depois nem fragaram causa, as estruturas de poder são o sal do erotismo homomasculino, quantas e quantas academias (as do físico) não lucram só disso, e gerações-e-gerações inteiras de homens que fizeram o trabalho-de-base (questionavelmente 'trabalho' e 'base', já que fizeram na academia, não a do físico, nesse caso, a do ocidente em reprodução incestuosa do que há de mais inaproveitável e nós aqui agora nas cotas, não 'eu' nas cotas mas 'nós' coletivamente, tendo que colocar todas essas ideias na sombra e ver o que sobrou de vivo em meio a tanto graveto, carvão e palha etc. etc.) introspectivo de perceberem a bobagem que é fingir pra si e pros outros, e se livraram, como se fosse o lugar de chegada, mas acabaram cagando no pau e adotando idiotas pra cuidar e esvaziar o saco. Porra, findom não é sobre isso? Todos os outros *dom* não são, também, sobre isso? Nada de errado, nenhum juízo de valor, quem-sou-eu, só que aí uma hora cê, que é bixa no presente, que é deveras-viado, tem que pesar se só se diverte com o extremo-cru do princípio de realidade quando cê vê esses caras cemporcento maXxXos não sabendo nem como lidar com o fato, fato, duro-no-duro, madeira, de tarem com tesão n'ocê (eu acho isso bom demais, na real, *sa foda,* não é *poder,* eu nunca falei que era *poder,* é uma piada, é uma das longas e de punchline), e que isso pode ser uma tara relacionada a quando cê era novo demais pra perceber a impossibilidade de ser maXxXo porque papai queria que cê jogasse bola mas cê sei-lá porque não-queria porque não-queria. Cê *sei-lá-como* não pegou o *homototal* da cultura futebolística. O difícil de entender por que eu não joguei futebol quando eu era mais novo. Porque não é como se eu não tivesse sacado na-época-ainda que não existe nada nesse mundo mais homoerótico que futebol brasileiro e os cadernos espiral com a cara do Neymar, sentindo a mesma incongruência erógena que eles sentem (empatia de descobrimento, regressão ao momento prévio ao ostracismo da Normalidade®, etc), como assim cê não gostava de futebol? E o caráter de classe (se eu ficar aqui falando da caralhada de marxista que queria me comer e me fez assistir jogo do Galo enquanto eu dava *a pala,* eu ia *ficar, eu ia ir ficando e continuar, eu ia ter ficado, no contexto maior do tempo universal,* se é que tá óbvio, porque todos acham que são o primeiro e todos acham que têm um *ponto*)? E depois sabendo que eles se pegavam antes-barra-durante-barra-depois dos jogos? O tumblr e as páginas e páginas e continuações-de-páginas só dedicadas pra VPL e slip e shorts desportivos, outras tantas pros toques e mãos-bobas. Tudo sem-maldade se cê não tiver maldade pra ter no seu íntimo, mas lá, como possibilidade plena de interpretação. O tumblr inteiro de NSFW gay era só isso e agora o Twitter, a promessa muito-bem-prometida. A-ah. Cê sabia que era. Num nível, num nivelzinho-inho, todo mundo sabe. E sabendo, fazer é dar pinta. Sabendo, ao ser real, ao fazer-ser, é real *demais,* se torna. Eu tinha medo de dar pinta. Ah. Fecha-página, tá-posto tudo. Eu achava que pra mim ia ser *diferente.* Tem uma diferença que fica implícita entre *fazer* e *gostar*. Uma diferença implícita na repetição da primeira vez, que é inocente, que é sem-malda. E eu sabia que ia. Mas também pode ter a ver com a heteronormatividade do *objeto* de tesão homossexual-masculin (na francesa, no *neardertal,* nada nesse mundo em momento algum me deu mais tesão, na vida, e boto a mão no fogo de que nada me dará, que um lek ou dilf maXxXo, que um carinha tranquilex e suavão tomando conta do masculino como se fosse uma caranga massa que se lava e lustra aos fins-de-semana, no encubado da coisa, e eu não sou o único, não sou sequer uma pequena parte, caso eu fosse o mundo seria diferente do que é, todas as coisas teriam beirado um outro lado, mas mandar essa deixa o clima desconfortável, habitar é desconfortável, tem a ver com autopercepção e ansiedade social), eu era franzino demais, magrelo e gordo ao mesmo tempo. E me achava feio, outra conversa. Mas voltando pr'a *gay*. Que não sou eu, grazazadeus. Não-mais, não depois dos vinte. A *gay*. Não eu. Se cê só se diverte, se só te faz brotar mel no veio da árvore ou florescer seja lá o que acontece no seu particular de libido-sentida, se eles, assim como pra mim, são objetos de um desejo distante que denuncia o gaze do charuto ao próprio charuto, etc. e avanti. Ou, e aí tá o erro, *the ruin of many a yags,* aí tá o sem-volta, ou se cê tá amando os caras. Se cê tá amando os caras e por indução imagina que eles são passíveis da possibilidade de te amarem de volta, aquela coisa bem século vinte, bem Caio Fernando Abreu, dois homens, um escritório, bla-bla-bla, e que pelo poder investido n'ocê pela ereção dele cê vai salvar o cara das ideias erradas que séculos de tanguinha e crucifixos botaram na mesa. Mas a real é que não vai. Não vai. Ponto. E vai dar merda. Eles não tão nem-aí nem pra serem passíveis da possibilidade do próprio amor que cê despeja neles, tá aí a incongruência. E o que viemos a aprender nas últimas décadas (com as contribuições e críticas do caso tóxico entre a esquerda revolucionária e o pós-estruturalismo {quem sabe mais sobre isso é aquele colega meu que escreveu sobre as bacantes no milharal da UFMG na ocupação de 2015}) é que tudo bem ser tchola, tudo bem, até nas selvas da Bolívia, mas ser tola é inadmissível. Na-na-não. Não se se-entrega aos desígnios do homem que for, nunca, ainda mais quando ele não sabe o que quer. E no fim não só os enrustidos não sabem. Aqui alguém pode preencher uma ou duas laudas sobre a condição humana. Mas não é sobre isso. É sobre rotina. Muito mais ainda quando cê-mesmo não sabe o que quer da vida e essa fita te serve como lastro, te serve como: *alguma coisa*. Porque, fora isso, não tem *nada* de substancial rolando pr'ocê. Cê não construiu *nada* com o tempo-livre de não ficar fingindo ser o que não é. Isso que a gente tem rolando pr'a gente com esse lance de se-assumir é isso, só, tempo-livre. Nada mais. Nada menos. Nada *entremeios.* Não tem política nisso. Não é *érre, ê, vê, ô, éle, u, cionário*. É um retorno, teve uma época em que todo mundo era. E a escrita veio e varreu tudo, como a desgraça que é. Ou eu tô de pala. Ainda sobre o tempo: nem é que ele seja tão-livre assim. Mas é *hábil.* É tempo-hábil. E não fazer nada com isso é triste. Ao mesmo tempo, abaixo ao anti-fetiche, anti-porn, anti-degeneração e a puta-que-pariu e o caralho-de-asa do feminismo-branco buscando todo mundo das próprias fitas pra mesma noia de sempre. Mais-que-fazer. Se é tesão e é transa e eles querem, fode. A temporalidade linear é uma invenção que vem dessa mesma origem do que é chato e letrado. Aí não. Sai fora, meu. Meu cu já tá'té de pijama com esse assunto. Ao menos transar com eles é um uso. A passyvah-bonitinha-e-tola e o bofinho-feioso-e-agressivo empurrando pra dentror a jantar delar. Evandro e Adão. A passyvah ficando bombada enquanto o bofinho bomba. A radpass gay-Alok, gay-Rambo, Kenzinha, gay-the-week, gay-batekoo, gay-Jão, todas. A passiva chega a ser maromba, como muitas são. A masculinidade das formas liberta a afetação dos gestos, é mais seguro *ser* quando se é assim. Mas quando não, afeminadisissíssima, segurando as bolsas das bonekas no rolê. A passyvah se assume (como se precisasse) e o bofinho é bunda-mole (como se houvesse outra possibilidade). Desenha-se uma dinâmica doente. Aí a passyvah foi Haddad e o bofinho Bolsonaro. Assim eu resumi os últimos cinco anos da história do Brasil. É tão difícil assim? É, de fato, tão complexo? Não é nada geracional, como relatavam as capas das revistas pra fingir que isso tudo é degeneração dos anos oitenta, do bug do milênio. Os mais castos coroas nos Corollas--setenta diriam que sim, no próprio interesse, esse é o discursinho de toda-terça na Universal, mas vos revelo, senhores meus, amigas minhas, os que os leks chamam de tios e tias, Reginas Cazés das Vivendas e Casebres, vos destampo, tupperwares de guardar fresca a ideologia do cotidiano, Tiões de qualquer borracharia, contarei, dou testemunho do óbvio, tenho Gênesis 4 gravado em mim, tendo Deus me concedido ou não o dom da palavra eu o tenho, vos provo, o lavrador e o cowboy de ovelhas, as montanhas, o frio, o Senhor lambuzado na gordura de galeto, Ang Lee contou melhor que a Bíblia, então é claro que é fonte primária, tá na diferença difusa entre conhecer Reinaldo ou Diadorim, e não é essa a história do mundo, me pergunto, as piças-lanças penetrando Persas de hentai pelas retinas dilatadas das câmeras de hi-frame, mácron, bráquia, bráquia, mácron, bráquia, bráquia, mácron, bráquia, bráquia, mácron, bráquia, bráquia, mácron, bráquia, bráquia, mácron, bráquia,

bráquia, a glória da imanência do inútil numa morte heroica, um morrer duro, rígido, meu, nunca houve quanto nesse momento real de agora tamanho tesão coletivo pela tumescência muscular masculina, confessem, a lambeção de botas providas pelo estado por punhetas em epos iliádico, '*your sacrifice completes my sanctuary of 1000 testicles*' é um moletom sobre o estado das coisas. Aquela foto do Carluxo ou do outro com a pistola na pistola. E as espadas, o potencial colecionável das lâminas, de quando passei um tempo no PV dos caras de grupos de punhetaria chamando nossos paus assim e nós mesmos, ao mesmo tempo aquela figura da parte pelo todo e a do todo pela parte, espadas...]

* * *

Os pensamentos intrusivos de-pica-mole me manuseiam. Isso é ruim. Uma espécie sofisticada de culpa. E o triste, perguntarão ao longo das eras, qual seria, e é de fato triste se cê parar pra pensar, é que eu nem sabia que o meu era grande, só não sofri com isso. Só não padeci na noia... [Nomes como PADRÃO FIFA, Bate-Bola, PARCEIROS DO FUT, Amigos do futebol, Futebol (muitos, muitos com esse nome), Futebol 2018 (ou os respectivos anos), Galera do Futebol, INTIMIDADE NO ESPORTE, Brasileirão 2018 (ou os respectivos anos) — debates, Fut dos Caras, CLUBE DOS BOLEIROS, Machos BI, FUTRÓLA (mesmo, com acento, com esse acento em específico), LIGADOS NO FUTEBOL, OS DONOS DA BOLA, PELADEIROS LIBERAIS (na economia), CASA DA LIBERTADORES leiam a descrição (que pede discrição, basicamente), Casados Bissexuais ('assumidos e solteiros serão excluídos sem aviso' o que é uma história por-si-só de como faziam valer), SKY Esportes..., UFC, FARDADOS no SIGILO, Jogadores, Clubes do Futebol, FOOT E BOLAS, Polícia 24h, Clube da luta — alpha ('SÓ PRA HOMEM, NADA CONTRA EFEMINADOS'), Futebol só de machos, FILIAL SODIMAC ('hos', óbvio, desse eu ri), Futebol e sexo, berma de jogar, Cafuçús *(sic)* DOT, FUTEBOL SEXTA (fotos de perfil), Coroas & CIA, ENTRE HOMENS, Negócios, Bolsonaro NEWS, QG MARVEL, Marombas BR, CORNO MANSO (que leva junto), XXXx ('Xuteiras, Xulé e Xeiro de Maxo'), MANOS, trapézio transcendental, Manos a los manos, B R I N C A D E I R A D E M Ã O, Pauno Henrique Ganso, SENAI DA ZOEIRA (proibido -18), Sauna Livre, PAISANA, Vestiário, FAMÍLIA e PROPRIETÁRIOS, Mineiridades, CURIOSOS DDD31 (e os respectivos dígitos de diversos lugares do Brasil), Gozonoaro2018 ('ganhamos, porra, pau no cu dos mortadela'), FUTEBOL — RJ — AMIGOS, IRMÃOS BERTI ('fãclube, menores fora, rala, nem tenta'), MAMONAS ASSASSINAS — Karalhokê, OS BROTHER CRUISING BH, VALHALA, Peludos SP (e variações pros demais estados), Punheteiros SP (idem), URSAL — MG (ibdem, 'só pra ursos, otters e capiVaras'), PUNHETA MINEIRA ('grupo dedicado somente à nobre arte do edging, pesquisar se não souber o que é', diz a direção), PELUDOS BR (só DDI +50), GoW CHEATS, Portando Armas ('foto de bunda dá ban'), SÓ COM FT DE PERFIL (moderação rigorosíssima, quase panóptica), Caminhoneiros, FUTPARÇAS, Nerds T.I. (membros novos precisavam comprovar domínio em C++ de alguma forma, o que foi engraçado pra mim e engraçado de ver acontecendo o gatekeeping), Coronel BRuce WAYne, NO-FAP FÓRUM, futebol americano, PUNHETARIA +18, Se não lembro não fiz..., Amigos Pra Toda Hora, FRANGO&BATATA-DOCE, Pó-po-pau? ('pó pô'), caSa doS PRimos ('só DDD 88'), Esporas & Chimarrões ('denuncie ao admin qualquer neonazi infiltrado, o gp periga cair por causa desses merdas'), G4t0s n4 M4tr1x, LEKS DOTADOS, MODÃO RÚSTICO, Moda de Viola (não, corda nenhuma justifica unha grande, macho que é macho toca com o calo), ESPADAS, Ozzy Morde Minha Cabeççççç, Canecão da POLI-USP (intra-intra-intranet), FAC@ N@ CAVEIR@, Gramado de Gramados ('estritamente proibido discutir política'), P o w e r M e n s B H, Putaria entre machos, GRUPO ARQUIVADO ------------------ Entre Homens (lembre-se: tudo que acontecer aqui, ficará apenas Entre Homens!), Oktoberfest2019 (não tanto nos respectivos anos), Banheirões em Blumenal ('proibido postar política'), irMÃOS Á OBRA (*sic* no acento), APOIO & BROTHERAGEM, Velha-Guarda ('grupo discreto'), TEMPLÁRIOS F.C., Me Dá Uma Mãozinha, Play2 Nostalgia, RINHA DE GALOS (dotados only), FREEBALLIN' SLACKLINE, Espartanos ('porque talvez o que importa não é a vitória mas sim as mãos amigas que fizemos ao longo do caminho kkkkk'), Cavalheiros e Cavalos ('se apresente com o tamanho em centímetros'), OS MARRENTOS, Vestibulinho: Barro Branco, Picolé de Porra, Porra Congelada ('só pra quem curte, se achar nojento, sair'), OS MELHORES DE GO (respectivos etc.), Livro de Piadas de Tiozão, Quinze de Novembro, et alii, tudo polvilhado de emojis, quase todos os 'O's sendo bolas ou punhos ou plaquinhas de diversos tipos, além de gotas, bananas, braços flexionados, bandeiras do Brasil e dos EUA, diabinhos roxos que eu sempre achei serem um jeito brocha de sintetizar a ideia vaga de sacanagem. Imagina, cê tá lá, cê capricha na linguagem, roda e roda e roda pra frente a manivela da língua, e o sujeito te manda uma bolinha roxa de chifre, broxa demaaaais, borderline-infantilizado, eu acho uma coisa regressiva demais. Figurinha tudo bem, porque é um adendo, é um multimídia. Agora emoji na hora da conversa de fundo de garganta é o que me desanima mais, e foi o que, sem exceção, quando os caras mandavam pra mim, me fez pensar que eles tavam sendo sarcásticos em um nível que me era inacessível. Como se soubessem que eu tava lá a caráter antropológico. Como se soubessem minha qualidade de *infiltrado.* Mas nem. Muitas das interações passavam pelo paranoico de eu achar que tava de convo com alguém que também tava *ironicamente* lá, ironicamente pagando de hétero, sinceramente de pau duro. Mas nem, também. Por vezes o simples é simples mesmo. Mas isso vem depois. Coisa na casa dos cinco dígitos, de tantos, os paus. Todo tipo de forma, cor, textura, tamanho ou tumescência, de todos os ângulos, todas as qualidades de câmera e megapixels, iluminações internas e externas, flashes, fumaça e espelhos, graus diferentes de umidade por fontes distintas, pelados, peludos, grisalhos, gifs, vídeos, gozadas chorosas ou jorradas, alvos, cenário, mise-en-scène de existências de coxia, as sigilosas, coisa na casa dos quatro dígitos de tantos anéis de compromisso, roupas femininas ribaltadas pelo avanço do proscênio da tela do celular, todos os DDDs, fruindo narrativas, variações do mesmo, diz que é hétero, pontos, diz que é casado, pontos, é aí que se mostra aliança como se não mostrasse etc. Escritórios, construções, mansardas, mansões, tijolos-baianos, *whatnot,* tudo na periferia do foco, tudo na mais tranquila das cenografias, tudo enquanto acompanhante, aquela história dos signos coadjuvantes, detalhes que não importam ou importunariam demais de serem tirados de perto. Coisa de fic. Minha mina viajou esse finde man ae tow assim tlg. É het tb? Esses são só os de HxH clássico-no-clássico *embrace-tradition*-da-coisa, só dos que sabem o lé-e-cré da dinâmica dos banheirões, dos que tem passabilidade, dos 'sem maldade mano's e 'não na minha's. É isso que eu gosto. Foi aí que investi a maior parte do tempo. Pesquisando, óbvio, *pesquisando.* Os grupos supracitados em que o que de maior ilegalidade, entre eles, o que de mais tenebroso que corre solto são clonagem de cartões, notas falsas e esquemas de pirâmide. Mas aí os paus. A homeostase são os paus descontextualizados e a expectativa de PV. Desse nosso de-campo podemos aferir certos pontos que ao público geral, até mesmo pra nós que já nos achávamos sábios e instruídos no instrumental da submundância, é e era-nos desconhecido. Nada de pornografia infantil, nada de zoo, nada de drogas, além de maconha, por-óbvio, nada que obrigue os caras da PF a botarem a mão na testa e terem que participar de operações que fechem ou dificultem ou fiscalizem ao fisgo da lei a circulação desses grupos que eles também usam pra se aliviar. Tem um limiar subscrito que passa o espanador nesses espaços e faz com-que eles sejam os mais tranquilos e inofensivos do mundo se cê abstrai o fato de que tá implícito que ser viado é errado e que não existe nada como trair-patroa rolando ali moralmente falando porque não existe nada entre-homens além duma cumplicidade e superioridade pré-histórica e natural. Faz sentido? É isso que preocupa o transeunte, é nisso que focaremos por ora, a nível antropológico. Poucas vezes eu vi aleatórios perguntando de pasta de CP no Mega e tão de repente quanto vieram levaram block nos grupos mais sérios, seguidos de dissertações das mais baixas contra essa prática. E, sendo pedos, eram amadores nisso, pode ser especulado dos que se aventuravam nesses grupos, porque os caras não poupavam fôlego em doxx e ameaças de morte. Se é que podemos especular, isso que acontece quando a moderação-do-sigilo, esse *Departamento,* se envolve tão proximamente com a manutenção do grupo como lugar privilegiado pra caras DL verem aquilo que chamam-de, e dizem procurar, *o mesmo*. Nunca nos deixamos frequentar os grupos com quantidade maior de números internacionais, tem badtrip que não vale a informação. Não temos apreço pela universidade a ponto de colocar-mo-nos em posição de risco pra fornecer-lhe dados estatísticos. Via-de-regra saímos dos grupos em que pelo menos uma mensagem oferecendo CP permanecesse sem censura explícita, o que denunciaria aprovação e banalização da coisa; tendo esse parâmetro, foi fácil perceber o quão rompante esse problema é e a ineficácia da polícia de fazer qualquer coisa sobre o assunto. Porque, e nisso damos *ênfase*, não-raramente encontramos policiais. Não-raramente uniformizados nas fotos que mandavam. E provavelmente não-raramente, não pudemos ou quisemos confirmar, os vendedores desse tipo de "'conteúdo'" usavam números normais e traceáveis. Ao que acredita nossa equipe, devem existir grupos específicos pra essas coisas aos quais possivelmente uma porção generosa dos caras que frequentam os grupos de punhetaria fazem parte; mas, no que consta aos especificamente punhetarinheiros, não é coisa que mereça dossiês ou operações. A transgressão de tabu acontecendo nestes já é gostar de ver pinto, e pra muitos isso já é o máximo de desgraçamento mental e parafilia que eles podem conceber neles mesmos. Por motivos de segurança, decidimos não nos envolver em caça a pervertido nenhum. Tava na moda uma época fazer esse tipo de coisa, produzir esse tipo de "'*conteúdo*'" vigilante. Mas a nossa equipe é do tipo que no-geral já é capaz de ter o dia estragado pelo tipo errado de pornô de estúdio e desconfia forte de que a fixação em trazer doente pro fio da justiça, ao preço que for e sob os riscos que sejam, é sintoma de *ulteriores*. Trauma mal-trabalhado, um deles. E nós trabalhamos com os traumas, seguramente. Segurança psicológica e de trabalho, principalmente. Não tem CLT pra isso. Por isso nossa plataforma de escolha foi WhatsApp, fosse Telegram a única alternativa nem nos aventuraríamos enquanto pesquisadores. E, na realidade, não são muitos os classe-operária casados e trabalhadores 'do-bem' que usam Telegram, nosso interesse é o que chamamos nos círculos ilustreletrados de *brasileiro-médio*. Fosse nosso recorte os esquisitos e modernosos, os *tech* da coisa, faríamos pesquisa de campo no campus de exatas da universidade. Queremos o grosso. Queremos os pagantes. O zapzap é tão simples assim, o hediondo limítrofe, o não-chega-a-ser. Quanto a isso é isso. Por isso é que essa coisa de homem manjando rola de homem é tão surface e mal-escondida, é pra ser, tá quem curte e sabe que é isso e que é seguro sair e voltar quando quiser pelo link, quando precisar manter o celular insuspeito pra patroa. Dormir off dum grupo sendo ninado pela tranquilidade de que ele vai tá lá na próxima deixa sem nenhuma treta. É sabença de que os links dos grupos melhor-organizados e policiados ainda vão funcionar direto do bloco de notas ou chat fantasma quando o quiserem ao clique, que mandar um ao-vivo da rola-dura ròla enquanto cartão-de-visitas, é esperar virem no PV, um convite que expira quando o número coroando a mensagem fica cinza, que é o retorno ao lar, que é a prodigalidade filial, que é o celular dando bobeira na pia da cozinha. Paudureceu, tira foto. Manda. Alguém vem de PV, cês quebram uma por chamada, cabou, arrependimento. Paudureceu de novo, vídeo dele na cueca. Aew man, blz? Tranquilo lek e vc? Suave. Só na mão aki kkkkkkkk. Somos dois então man kkk. Kkkkkk dhr. Qtos anos parça? 23 man e vc. 25 (mentimos pra cima, senão por nada por tradição). Het tb? Heterozao mano. Top irmão. Punheteiro pra krl? Pra krl lek kkjjkkjk. E vc. Dms mano. Tô com a vara chorando agr msm kkkk. Tem mina? Por aí vai. Oitenta-porcento têm. Os outros vinte passam a ter depois dos primeiros vácuos quando respondem que não, reais ou ficcionadas. Chamada de vídeo. Sair dos grupos, bloquear números, esquecer. As peles flácidas se enfurnam em qualquer conformidade confortável. Lembrar. Voltar. Repete. Um interessante também é que a rotatividade é quase zero, no que tange a quem usa cada grupo, mais seasonalidade seria, se fosse pra definir, idas e voltas, Encontros e Despedidas da Maria Rita, subcelebridades acháveis pela frequência e identificabilidade semi-anônima, alguns têm dia-da-semana certo pr'ocê encontrar lá, e isso dá pra coisa toda até mesmo um clima familiar, e por isso gps de monte. Nossa equipe teve seu contato *primevo* com o sexo profissionalizado nesses espaços por meio da conjuntura comercial que sustenta a ideia complexa do que se chama contemporaneamente de *pack*. O que, nas aparências, no superficial, é contraintuitivo. Pensa-se, como? Fomos orientados pela banca a explicar alguns conceitos prévios, único problema é que a bolsa não prevê os gastos com notas de rodapé nem sequer tem no edital-próprio os específicos do processo de reembolso se porventura viermos a usá-las na elaboração do presente trabalho; mesmo assim, contudo, porém, concordamos, é vero, assumir conhecimento-mínimo do mínimo é, de fato, elitista, tem-quem por aí não tenha sapiência de vida, então devemos, e nos dispomos a, esmiuçar a questão no corpo-do-texto. Ou seja. Num espaço onde a *oferta peniana* é muito mais alta do que a demanda é permitida ser, já que dita o organismo masculino-cisgênero-médio ter disponível pra *mostra* 1 (hum) pênis rijo apenas e somente para cada empolgação, empolgados como de-fato ficam esses homens nesses grupos; reiterando que qualquer forma de afeminação ou feminilidade, nisso inclui-se a posição receptiva, diriam 'passiva', do sexo penetrativo, que num espaço com tal disposição, digamos, ludicamente, de plugs demais pra tomadas de menos, a lógica smithiana do equilíbrio e da temperança e da termodinâmica indicaria que, não que sejamos nós liberais, mas a nível de exemplo, deixados aos seus próprios meios, como intentamos provar que, de fato, o são, autorregulados, paraísos do ancapismo, tais grupos chegariam à conclusão de que em tais grupos precificar o que abundantemente acontece de graça é um pouco *off*, um pouco *over.* Temos, sucintamente, um mercado de macieiras demais pra bocas de menos, em que a circulação de bocas, por mais discretas que sejam em suas fomes e formas, é indesejada e, em maior ou menor grau, proibida. Esse é um Paraíso sem évi-adão. Pensaria um livre-pensador, intuímos, que nessa feira o produto é, por inútil, desvalorizado. Mas, assim como em SMITH (1776), aquele que chega a essa conclusão chega a ela por meio de um atalho. O atalho, no caso, é de tempo. Sendo atalho-de-tempo, este e todos, dormir na viagem. Vejamos. Isso de 'coisa na casa dos cinco dígitos' supracitada diz respeito ao pênis como uma categoria de coisas artificialmente construída ao redor de uma percepção do mundo natural, aqui estamos sem tempo pra uma desambiguação ou estabelecimento de *locus* epistemológico ou sequer de campo teórico, muito menos resgate etimológico e posterior análise do que se diz hoje pelo uso de *natur-* como radical ou partícula ou sema e os movimentos e articulações em nível de ideologia que tais usos remetem e-e/ou-ou indicam; mas essa coisa de 'coisa na casa dos quatro dígitos' ignora qualidades atribuídas aos genitais XY masculinizados. Qualidades *(das Schwanzwert)* conhecidas e apreciadas por qualquer um em-mãos do subcorpus caracterizado pelo tipo de pau que sai da intimidade de ser somente um nude pra virar pornozada *(Schwanzspreis)* inveterada e rodar e rodar nos retuítes das contas de *bait* e *bate* até o fim dos tempos. Veja. Há uma certa morfologia-estética-peniana borbulhando no miolo desses caras entre variações mínimas de preferência pessoal; nem sempre tamanho, seja dito, já adianto isso, embora tamanho seja o real diferencial depois de checado o básico, discutido no componente qualquer-I da nossa pesquisa. Tamanho é *ok*, mas vale mais uma certa proporção entre diâmetro e comprimento, a presença vascular saliente e serpenteante, a impressão de rigidez total, marmórea e viril; a diferença entre um pau da cepa 'macho' a um pau sem safra definida tem muitos dividendos ao conceito vago de virilidade, a grossura da glande agigantada, a venosidade (já explicitada) do corpo encorpado e rijo, o emaranhado denso na base dum Sansão que não se deixa dormir pra mina nenhuma. Procure os pentelhudos, encontrará a estética masculinista. Da glande, um tratado, dois-pontos: uma glande bola-de-chiclete-de-bola soprada, respeitando os limites da proporção, digamos, do *golden-ratio*, quanto maior melhor, desde-que respeite, isso tem que ser, inchada, *uncannyvalleymente*-balonística, a linguagem fica coçando a nuca na sua incapacidade de descrição desse fenômeno específico, essa coceira de nuca é coisa que descobriram que deve ser aliviada na nuca de dentro, o formato-pirulito com o brilho do inchaço-total que desafia até mesmo o elástico da pele, o roxeado botando-na-mesa que a coisa é *sanguínea* mesmo e é orgânica, o brilho de mucosa irritada que denuncia ao cérebro reptiliano nesse contexto especificamente-dado uns certos poderes sobre a fisiologia que vêm da capacidade (ou de sua suposta capacidade, cabe falar) de controlar a excitabilidade dessa ferramenta, *akin* do senso-comum sobre a organização social de seres como as lagostas e o tamanho das pinças; denuncia saúde, cardicalidade. Um funny-one, o Brasil, ao contrário de sua potência imperialista ao norte, prefere as peles, é fissurado em foreskin, até mesmo em fimose, futuras abordagens ao tema podem desenvolver argumentos nesse sentido a partir dos resultados alcançados no trabalho que finalizamos etc. Ok, tudo ok, o pau tem que ser *masculino*, há muito o que desenvolver sobre isso, esse tema, mas não em língua, o pau tem que ser masculino e ao que isso se impõe é todo e ominoso do porquê ainda lemos Freud com a atenção necessária ao *sin-to-ma* no próprio Freud, na lógica interna que é branco-no-branco freudiano, o Freud pro qual o Freud anos depois teve que mandar o ó-não-é-bem-assim, o Freud que o Freud-mesmo teve que mutar os stories. Sobre o pau, mais geralzinho, numa abordagem *macro,* isso quando chega a ser grande o suficiente pra justificar essa metodologia, dois-pontos: o pau tem que ser masculino nas casinhas tais da totalidade-universalizante do Ocidente (ocidoente, uau, li hoje no feed, essa galerinha anda cada vez mais criativa nos papéis-de-guardanapo), vara de macho, daí passe livre. O Deus do tipo cristão, o olho-do-cu da ansiedade, seu élan-vital, seu movimento semovente na obra de-Dante, *diz sobre* o pinto. Mas isso é coisa mais-de-mestrado, não compensa divulgir demais. Eles, nesses grupos, compram quase tudo se a trolha for massa e massuda. Já vimos, nós, nossa equipe, muitos gays-Madonna pagarem de daddy-xucro só porque não depilavam o saco e o pau perigava chegar perto demais do joelho a depender do ângulo da foto. Muitos little-monster, de-passagem, e uma galera caindo nessa como se conversasse com aquele personagem do Antônio Fagundes, tá aí a merenda-cênica do negócio, é quase uma cena BDSM, suspension-of-disbelief no sentido delusion-convince-yourself da coisa, nos ateremos à localização dos termos e à aclimatização da pesquisa ao português-brasileiro nas próximas edições, sabemos-lá, só indicam os dados que pica grande e pentelhuda é entrada garantida pro que há de rodinhas desse tipo como gradação do que é que se faz em casinhas na árvore, do que é que se faz em clubes de tiro, do que é que se faz, também, nos ambientes supostamente mais evoluídos da viadaiada esparramada e espalhafatosa dos saunões e cinemas do Centro. Pensa-se erroneamente que as bixas *evolués* tão tão-além dessa carnificina dos sentidos, erroneamente, repetimos. Um dos nossos informantes, de quando fizemos a coleta, aqui sob nome-fantasia de Luan, pra proteger a identidade, nos disse, discurso-direto, '*quantas vezes eu não achei meu próprio pau em grupo de putaria homossex liberada vale-das-Barbies Fairytopia-narrado-pela-Silvetty-Montilla, nos vídeos mais visualmente babacas que eu mandei pruns machos casados que se dependesse de mim eu prendia, mas não sem mamar primeiro, risos, a nata do bolsonarismo, uns vídeos sujões mermo, pigzeira, vídeos no-nível-de ficar comendo--dryhump meu travesseiro e ter que dormir com ele 3 dias só o cheiro da marcha e do volante de uber gay-padrãozuda, vídeos no-nível-de ficar arrotando o alfabeto latino depois o grego e depois uns hieróglifos que eu sabia transcrição de cabeça, a nível de exemplo vídeos no-nível--de me meter pelado no bambuzal atrás de casa pra mijar pra cima de vara-dura tentando acertar no chão a boca duma long-neck que tava vendo a luz do sol e qualquer luz aliás pela primeira vez em horas, preciso nem dizer onde tava antes, vídeos no-nivel-de'* ad inf. Mas é verdade o que dizem, os mesmos que erraram na acepção anterior, que ao menos aqueles que assumem as porcarias dão menos trabalho. True. Voltando aos encubados, a admiração masculina pelo formato ideal do pinto é irrepreensível de um jeito que nem dá pra discutir, nem vale a pena, o neurótico que não usa os mictórios públicos trabalha em defesa própria, quantas fontes (de água) não surgiram e vão surgir ainda como forma-platônica nos recôncavos inconscientes dum arquiteto que olhou pro lado enquanto mijava? Se diz aí na boca miúda que cada homem que no século XX não participava de banheirões veio a contribuir, sublimando as coisas, no desenvolvimento de toda a parafernalha associada ao computador, à internet e até mesmo aos smartphones. A partir disso era só assistir em casa, ver sem ser visto, manjar egoistamente sem botar pra-jogo, e nada mais de interessante foi feito na história humana. Nos perguntamos nas reuniões do nosso grupo extensionista, quantas obras de arte e quantas *baixas*? Em anexo todas as cinquente-sete formas não invasivas de aumento-peniano que pudemos encontrar entre ligar o CPU e checar a caixa-de-entrada do e-mail. Entre nós, acontece, podemos somente imaginar o que é ter piroquinha. Infelizmente, aqui não temos esse lugar-de-fala. Apesar disso, temos por missão a inclusão dos penianamente desavantajados. Não que faltem entre nós, os universitários; faltam os que se assumam como tal, que se auto-identifiquem-sendo, trabalhamos em ações afirmativas nesse sentido. Assim que saírem as vagas, teremos. No-momento, entretanto, enquanto ainda não achamos a quem estender auxílio, exercitamos a empatia. Por mais objetiva que seja a pesquisa científica, ou por mais dissociada do objeto-de-estudo ela tenha se pretendido ser antes da revelação pós-mod e identitária que foi revelar o envolvimento do sujeito nesses resultados, o método científico brilha-muito quando usado por alguém com a pele no jogo, se é que nos entende. Quem sabe se oferecermos bolsa-monitoria, quem-sabe. Assim como o marxismo é a ciência da classe trabalhadora e a ciência em-si é a ciência de todo mundo menos dos Europeus, que fizeram bagunça. A ciência por trás da admiração por dotados diz sobre aqueles que têm o social entre si e um dos-grandes. Mas atenhamo-nos às atas. Nesses grupos de punheta, ter pau avantajado e bem-diagramado é ter uma galera-de tio te elogiando por-nada a troco de-nada porque qualquer composição física anexada a uma puta duma tromba é válida no sentido sexual e profundo de servir ao prazer visual de quem, obviamente, vê. E as pálpebras lambem os olhos de maneira análoga à língua aos lábios. Tudo isso pra dizer que tem quem tropece e tem quem corra em termos de desejabilidade. Contraintuitivamente, de novo, o físico não tem tanto impacto. Gordofobia rompante, não nos entenda mal. Não nos tire de negacionistas. Mas, se o cara é magrelo ou bombado, urso ou passarinho, o pau é onde o jogo acontece *primeiro*. Os *gp*zinhos entram no nicho do twink-sarado-do-corpo-inalcançável-para-quem-não-tá-em-déficit-calórico, de novo, óbvio, mas *antes* disso tem que ter VPL desenhado a grafite 0.5 na sunga das fotos de divulgação, isso é imprescindível. Contudo, contudo, ainda, é um saco entrar num grupo pra encontrar seus semelhantes e exercitar esse tesão-graúdo de encontrar machos como cê se acredita sendo (e é, não vamos nos enganar quanto a isso, muitos dos caras são realmente insuspeitáveis, são realmente aquilo que se pensa quando se pensa conservador-e-de-família, nessas discussões fica a impressão de que são todos tcholas iludidas, embora muitas sejam, e que a sensibilidade de identificar quem curte é pegar pistas nas pintas, mas não, ao contrário, muuuuuuuito-ao-contrário, o pulo-do-gato é, e corremos risco dizendo isso, o doxx vem quente, precisaremos de asilo, o pulo do gato é entender que a masculinidade legítima e inquestionável é em si a mais larga das bandeiradas) pra se deparar com caras que despertam seu interesse mas cobram vintão pra te liberar o *conteúdo*. Embora esses espaços pipoquem de direitistas de todos os tipos e influências, há qualquer coisa anticapitalista investida no desprezo coletivo por vendedores de packs e *conteúdos*. Encontramos maior receptividade conforme fomos explorando grupos mais gay-friendly. O gay é um índice de *disposable-income*. Os héteros, nos grupos mais sérios, odeiam. Nos grupos mais sérios ainda, a venda de packs é proibida, coexistindo em severidade com regras consideravelmente mais justificadas e compreensíveis. Especulamos que, além de não quererem gastar grana, justo, que é uma coisa reservada a desesperados e-e/ou-ou indesejados, o que é justíssimo numa nuance estritamente lógica, pra além disso, pra bem-além, o que rola é o seguinte: estar disposto a pagar-dinheiros pra ver cacete de homem denuncia um interesse intenso demais pra não ser viadagem, e a viadagem enquanto horizonte-de-eventos da Negação de quem participa desses grupos é a coisa que mais acaba com a vibe desses caras, que tão ali de bobeira e tal e encontram um mano firmeza e tal que tá na seca e tal e nossa man e tal *et alii*. Além de que é de-contra à premissa de tais grupos, em que subentende-se um clima de irmandade e relaxamento, uma fantasia de retorno à experimentação inocente da primeira vez que foram pescar, ou da primeira vez que o pai foi pescar e eles ficaram pra assistir os pornôs mal-escondidos no guarda-roupa com um amigo de escola e...]

* * *

Eu preciso de um banho. Mas ainda quero usar mais o dildo. Dilema. Quero aproveitar a chuca. Ainda tem muito da mistura de óleo-de-coco e da pasta de lidocaína sabor laranja no pote aqui na escrivaninha. Mas já tá chegando também aquela sensação de ânsia avessa que significa que pro resto da semana toda vez que eu for cagar ou sentir vontade-de eu vou ter um flashback pra sensação de levar no toba igual onda retardatária de doce. Só mais meia hora... [Descobri o prazer no cu com a cologne Cuba Orange, primeiro o vidro, não sei o porquê, se interrogado embaixo do beijo duma dezoitão eu não poderia pela vida minha explicar por que; depois a embalagem. Não, acho que eu posso especular que comecei pelo vidro por causa da mística do símile de charuto, aí sim, certo, sabiamente. Mas foi na embalagem que eu pude me encontrar com esse universo sensível, era um consolo mais seguro. Não. O que eu tava assuntando? Lidocaína, não, antes. Banho? Ah. Lembrei. O que um ambiente como esses gera, um ambiente de *falocracia,* ou melhor, o que ele proporciona, é a performance de espontaneidade diante da admiração irrestritamente penetrativa da ferramenta-de-trabalho que é o pau de outro cara. Os mais-mais são metedores, por *natureza*. Se comer mulher é Yu-Gi-Oh, mão-amiga é bater carta. É lógico que a galera que tem deck joga o jogo nas-regrinhas, e nesse caso o valor das cartas tem sua aferência inerente ao que é possível dentro dessa matriz. Mas na hora de ficar batendo palma pra melar a mão e garantir os bichinhos virando carta é que o coração acelera. Não é? O primeiro cenário é o que determina a relação de *potência* e *vontade*, mas é só no segundo que esses especulativos valem alguma coisa. No segundo é que as vozes engrossam e o sangue flui. Com exceção, é claro, de quem apostava carta em partida oficial. Mas, entre nós, da equipe querida, a experiência é de que quem tinha predileção ao azar geralmente fazia as duas coisas, cortava pros dois lados, inventava mais lados a se cortar-pra, a permuta é, no fim das contas, um campo gerativo. Partidas-valendo, também, tinham como pressuposto uma plateia, um mesário, o que já é difícil de considerar *vanilla*. Fim da analogia. Sim, nossos pesquisadores se fingiram de hétero. E daí? Tem gente aqui com mais de década de militância ativa e radpass. Qual o problema? Quem nunca? Nossos pesquisadores inventaram tantas namoradas quanto necessário com a fluência e fluidez típica de personagens tridimensionais. As namoradas que nossos pesquisadores inventaram facilmente passariam num bechdel. Sim, nossos pesquisadores engajaram em interações estranhíssimas relacionadas ao putativo desempenho penetrativo dos próprios membros na intimidade interna de mulheres-cis, tudo muito agressivo, tudo muito relacionado à especulação do *encaixe*. Mas foram coisas que, sem esforço, desdobraram pra sensação na mão, pra sensação duma britadeira em contato com a outra num esquecimento completo do antes-objeto do asfalto. O machismo, no fim, é sobre isso. Afetos masculinos. É estranho que pesquisadoras da área se achem no olho da coisa falando sobre o assunto, tirando as que, assim como os nossos, criaram um personagem heterossexual brothereiro pra se infiltrar e fazer-a-fina. Mas pela qualidade dos resultados, inconclusivo. A homofobia do século XX, por sua vez, é um desdobramento do que há de mais homoeroticamente cristalizado nos signos da masculinidade, não-separando jouer do trick, toda forma de masculinidade forçada é expressão dum desejo que se anula na transa que não se manifesta como tal, que não se manifesta no positivo-negativo retro-anulamento, porque, se possível, se esvaziaria. A mulher nesse caso é o álbum vazio que, por existir enquanto um objetivo final, faz valer as figurinhas. Nem todo mundo completa o álbum, nem todo mundo tem essa intenção, mas sem o coletivo-abstrato dessa meta não existe *troca*. A socialização se faz na troca. Um relato pessoal de um de nossos leitores. Segue sem alterações maiores da nossa parte. Por blefe, pela besteira de ficar blindando a crista da onda de chá pra lembrar como é que eram os códigos que eu meio que recusei na minha socialização masculina, retrocedendo, a là auto-hipnose, aos meus sete, oito anos, e a memória nítida de diversas coisas como essa, espada, lutinhas-de, o fundo da sala de aula sendo dos moleques que de alguma forma já conceituavam essa parada, se tem uma fita que eu lembro bem é do meu segundo ano, fundamental, quando abaixei a calça pros colegas cutucarem minha bunda com os pipis moles, relato que aqueceu muitos divãs e esfriou mãos inteiras até os pulsos, pra depois recusar, recusei porque passada a sexta-série já não andava mais com os meus, tensão demais, não no que se diz sobre o isolamento da homofobia, eu era passável, mesmo que não sabendo, *en passant,* antes de conhecer as bixas e só colar com elas eu era um nerd entre jocks, só, nada de ostracismo, me chamavam às vezes de Luana Piovani, mas hoje, em retrospecto, parece ter mais angu que caroço nessa coisa toda, o nome é uma ligação leve demais quando podiam ter me chamado de Lacraia, quando tirei a lente do blefe falando que tudo-bem porque ela era gostosa, pararam. Entende, doutora? Pararam porque eu dei forma ao vaporoso. Isso marcou. Depois passei por simpatizante político na unívoca tranquilidade de defender uma causa que eu fingi que não era minha *porque* num campo neutro o argumento se sustenta até melhor se eu não tivesse nada a ver com isso, tava cavando minha cama igual cachorro, porém pesquei as plurais intenções do que era aquela viscosidade nos movimentos de músculos recém-inchados nos vestiários, o tipo sutil de hierarquia que nascia do talento que cada corpo se-pá-púbere desempenhava no futebol, comigo longe, na queimada, a violência, os ataques em touché das brincadeiras banais, minha ojeriza era pensar que a coisa era óbvia pra todos por ser óbvia pra mim, sendo um pouco das duas coisas. 'Nunca na minha vida que eu vou levantar-saia só porque o meu quase-ex-colega que me chamou pra jogar PS2 e tá de pau duro no short tactel do meu lado nesse momento, segura sua onda', eu fritava, 'as consequências e as consequências-quais' era no que eu ficava pensando, como se houvesse algum tipo de estratégia, isso é persecutório, qualquer psicóloga vai te falar se cê contar isso, cê provavelmente vai, doutora, e anos depois, recontando essas coisas, é como se eu revelasse cheats, como se uma psicanálise de divulgação científica tivesse me feito capaz de notar só os sintomas isolados, sem relação. Anos depois dei gostoso pra esse colega, ele já casado e de-três-filhos. Isso é frustração? Ou melhor, era? Quem que tava verificando se eu era e a qual propósito? Isso é coisa pra análise? Ou quebrar a próxima pensando nisso resolve? Sim, tavam, tavam rodeando pra saber. Pra me quebrar na saída? Não. Não sem-antes. Era isso que eu não sabia. Perdi uma juventude nisso. Por que é que eu fico pensando nessas coisas no entrebronhas? Pois bem, cresci fora desse meio, adolesci em potência total isolado do masculino por não querer ficar na fila-da-vergonha de ser mais um fora-do-meio dos apps de pegação quando o futuro abrir seus lumes sobre nós e encontrar documentado o como vivemos, já sabia, como uma lupa sob o sol (oh, o quão poético), que, se não me falha a memória, com catorze já tinha me catado entrando em todas as comunidades online possíveis, já tava a uma milha no caminho da militância, já formulava contribuições inúteis e me aferrava na conciliação dos polos em mim, o tudo de errado que we-live-in-a-society significa e o tudo de déjà dit que havia descoberto sozinho. Que enrustido tem a rodo e é uó, mas eu gosto. O que quer dizer que as tentativas frustradas de me interessar por corpos afeminados foram, bem, frustradas, e a pornografia se abria em culpa comiserante, como uma coleção de postais estranjos com belas vistas longínquas, duma tal miraculosidade satânica, os pornôs que eu via me mostravam como capacidade modal corpos como os dos meus Max-Steels fazendo em cena o que eu fazia com eles até antes mesmo, masculinista, padrão, excludente. Ken morria virgem na minha mão, twink comigo morre (figurativamente falando, na mão, calmaí). Sobre o desejo, sobre a inclinação narcísica à masculinidade, Gs afrente de Gs, só na premissa de um H na sigla, o antigo S, e ah, a consumação, conforme fui vivendo por essa norma, ainda vivo, sem culpa, com culpa, *sometimes my thicc and bara nature takes the best of me*, sem sentir os sintomas da culpa na carne, ansiedade, não, normalizado, não, a hipomania é o vale da onda, não, é o repouso, no que dá, confortável, e via, vejo, interpreto a interpretação de que é como se me fechasse, de que é como se me fecho, claustro aos cheiros de incenso, suor, cloro e vinagre, adeus, grande mundo, adeus, variedades do humano, adeus, aspectos no degradê do feminino, meu negócio é macho, e que minha tendência ao masculino, meu desejo-ao, e me complico, e me interpelo pra me calar, na interpretação, no devir dum definitivo, me delimitar me limitando e me delimitar de ler por fim desmilitando uma militância que desde o grêmio era minha, mas aí também é muita internalização de fatores, é muita prepotência de heroísmo, decênio depois o tesão continua o mesmo, indesconstruído, indestrutível, prova-por-si de que é real e que existe sendo sintoma de não sei bem se saberia dizer o quê. Nem se do que me cativa eu fosse cativo, não é bem por-aí. Ninguém quer ser sintoma. Mas o rolê é que, se for assim, se ninguém for sintoma, hipoteticamente, a conta não fecha. Há alguém aí que é só o sintomal da coisa, sinto muito, tá na lógica dos números, e há muitos que pelo menos às vezes são. Fosse outra a situação, os dados mostrariam outros dados, mas há um choque entre o amarelo das mãos que ninguém olha e o estatístico que salta aos olhos, laranja quase-vermelho, de que pelo-menos alguém tem que tá olhando. Há um choque entre o amarelo de setembro nas postagens de quem tá disponível pra conversas e quem precisa conversar. Todo mundo quer pagar de simpatizante de alguma coisa, mas sendo. Comer pelas beiradas tem o mesmo potencial de matar a fome que qualquer outra abordagem. Então convém desconfiar. O negócio da ideia que fazem de mim nessas linhas é 'hm, simpático, instruído, pena que iludido, pena que fisgado pelos floreados das penas empunhadas entre lufas de pelos, ainda acredita na existência do másculo entre nós, como se existisse, como se alguma vez realmente tivesse' etc. e tudo mais. E sim, é sim, interceptem meu sono em sonhos-de-verão e verão as *vergas*, verão o varão às vestes do sujeito-homem soviético, me sovando de serotonina. Contudo, porém, acho injusto, é tão-injusto que concluam, seja quem for, pela expressão que fizer ao me ouvir, de que é um desperdício, que eu sou. Fico num fundo pensar sobre as implicações de pensarem que tesão se iguala a foco, afeto, porque a militância diz através dos meus conhecidos, que é preciso conseguir se lambuzar nos corpos preteridos, convencer a cabeça de baixo a concordar com a de cima, por assim dizer, carimbar validades com a cabeça da piça, old que diz, quando...]

* * *

Banho. Já. Água fria. Esfriação. Baldada no balão de cachorro... [Ando pensando em diversificar um pouco minha fonte de renda, coisa madura. Vou mesmo. De rocha. Vou fazer uma página de frases&versos sobre masculinidades-floridas e se-valoriza-miga pras sinhás coçarem as siriricas secas e tristonhas delas no tossido das tardes, entre uma e outra publi de chazinho diurético, de plaquinhas de MDF queimadas cursivando a letra de qualquer coisa medíocre, de kits de skincare (escreve essa, Boninho, um programa de assinatura que entrega todo dia um box de dois litros d'água na porta do otário, instruções e curiosidades, dizendo que é pra pele, dizendo que é autocuidado, dizendo que é pra autoestima, trezentos contos o mês), sei lá, de shake da hinodê e herbalife, enquanto o namorido se tranca no banheiro pra me chamar de vídeo. Ein? Que tal? Dildo e kindle, o jogo todo. É assim que tem que ser. A completude. A totalidade. E comprar uma Ferrari com isso. Sim. Ferrari. Esses sim, os que conseguem passar esse carão, são profissionais da palavra. Escrevem aquilo que de fato há quem queira lido, nisso o akwé vem. Só têm que fingir que gostam. É só malhar o macho, seja ele qual for, e romantizar a mina, pra além do que é humanamente possível desimportando 'recorte'. Aliterações eu já faço, e é fácil demais agradar um público temeroso.

Literatura é gatilhosa, então qualquer coisa menos que isso é válido e serve, é safespace. A merch vai ser bodypillow pra botar de trincheira no meio da cama. E eu amo isso, *for them.* Às vezes isso diz sobre o comp-het feminino, enquanto aqui eu discurso sobre seu colega de quarto. Caberia aqui outro estudo de casos. Se homem não transar com homem, vai transar com quem? Quadrilha, a *mina* quer a *mona-passável* que quer o *gae* que quer o *bofe* que quer o *hétero*. O poder então se aglutina na ponta fina do fim dos interesses. Na fila dos bem-quereres come por último aquele que não precisa se olhar no espelho pra ser visto. O bem-me-quer sempre deixa sobrando uma pétala que não se tira. Nisso eu ainda nem fiz 'recorte' de raça, que é o mais importante deles. Mas é que eu não acho apropriado. Não tô numa posição segura o suficiente pra mandar a real. Então esquece. Puxa o divã. Essa é boa. Não, outra história. Pira comigo. Conheci o Luquinhas num desses grupos, dos mais sigilosos, dos mais *prestige*, FIFA qualquer edição que tenha sido a dos dois últimos dígitos do ano, eu tô off de datas, tô fora do segue-que-segue dos segundos que passam, o tempo cronológico não bica mais comigo. Ele entrou numa das ondas de apagamento de membros inativos ou sem foto de perfil, coisas proibidas pelas regras na descrição (da discrição também, porque há mais perigo de exposição num grupo de anônimos que numa ágora de quem curte e se vê, todas as identidades empraçadas e públicas, ninguém fica fiscalizando quem-que-é-quem pelas fotos, é minha suposição individual e intransferível, mas coletivamente acho que rola esse aduaneiro, é nisso que pegam as trans, as afeminadas, gays assumidos, menores que porventura {na época que *eu* era menor e frequentava esses grupos tinha nada disso, mas eu consigo juntar os pontos e imaginar que é mais-porque os grupos que eu era permitido entrar e ficar já eram inclinados à permissividade e ao ilícito e eu, desde os quinze, muito-que feliz de não questionar}, mas, o ponto, à parte do controle de idade, que, lógico, tem que acontecer, é a instituição que mantém de pé o quengaral de alasões, mas pra além disso rola uma biopolítica, quem confere um-por-um os números que o adm remove {questão}, eu que não, não vale a pena o trauma da possibilidade de me deparar com o que quer que seja que se esconda por trás dos dígitos na lista de excluídos que vem descendo junto com a conversa, não vale a ir nos milhares de dígitos pra ver se eles excluíram uma pessoa só por ser gorda {questão}, e quem vai protelar contra esse sistema se tiver acontecido {questão}, o que eu acredito que aconteça direto, é a impressão que fica, os que mandam foto de bunda o são, o kick vem que-vem voadora em quem se deixa levar ou não tá sabendo como funciona, esse já é um biopolítico importante, essa já é uma categoria de exclusão gigantesca que não nasce num sentimento moral ou de responsabilidade, é literalmente homofobia e é a base do que organiza esses grupos. Não quer dizer que eles não querem quem dê a bunda no meio disso tudo porque só gostam de mãozadas e gouinagens, quer dizer que se tem toda uma estética, uma gala, uma pompa, um ritualístico, que cerca, cerceia, e, por ser estrutura de poder, permite, que alguém dê a bunda nesse meio {coisa já trabalhada no tratado em-mãos}, que a dê discretamente contudo, que alguém fantasie com alguém a dação de bunda no privado e fotos e dois dedos em garra agarrando um pra cada lado lá dentro {faz sentido?}, mas a galera off, trans, afeminades etc., o que se faz dela? Porque, a depender dessa galera, apesar dos discursos oficiais, ela taria nos mesmos espaços que os padrãozudos se pudesse estar, a verdade é que esses processos de exclusão não tariam implantados se a atuação de blazê e muxoxo que a cultura parece ter agora com relação ao masculino fosse verdade quando onde a coluna faz curva vem crescendo uma sensação fodida de vontade de, pelo menos, ver), num dos dias que o moderador tava de saco cheio da estagnação (uh, os grupos morrem, e montar a zoologia da coisa seria coisa por si muito custosa e desinteressante fora de áreas de estudo específicas, mas imagine como e por quê, qualquer imagino possível é igualmente próximo, é uma probabilidade, mas a realidade é que a maioria morre quieta, sem evento, sem sequer que saibam) e teve tempo livre de ir na lista um por um (aquele processo que eu falei, e nisso vai mais outro, e, já que já estou em *detour*, pensemos, e quem não quer ter o rosto aberto em PFP porque *o porquê {jusqu'au bout}* de tarem tirando gratificação numa porra dum grupo de tarado com celular e não na vida real onde se tem tarado de sobra e prazer mais conciso e tátil tem a ver com o fato do rosto dessa pessoa que não quer mostrar o rosto ser uma *dificuldade*, ãhn? E aí? Dificuldade real ou interna, *real-porque-interna* ou também *interna-porque-real*, algum acidente, algum de-nascença, entende? Quero dizer, e se a pessoa tá num grupo de punhetaria mostrando só o pau porque naquele momento na vida dela ela se entende atraente só pela apreciação do pau, porque ela se acha ou é objetivamente-achável feia? E quem pensa na feiura? Quem se atém a essa minoria, ein? Se se-for realmente, mesmo se for alguma coisa que a grande maioria das pessoas nem ia achar que tem coisa sequer, o que sobra pra essa galera além dos grupos que não fazem essa checagem cara-crachá? Não é isso um tipo de marginalização? O que é que espera esses caras que só querem ver pau-de-velho e mostrar o pau-de-velho quando eles são arrastados pro andar-de-baixo do que já é, talvez, pressão atmosférica demais pra muita gente? É uma espécie de jogar-pros--lobos, imaginando que sepá essas pessoas já são fragilizadas na--cacholamente, food for thought), pra depois os membros que ficaram compartilharem o link (outro fenômeno por-si-só), pra encher de novo, até o talo, 257 (na época, se essa informação tiver datada), e são justamente nesses momentos de instabilidades e renovações que o foco em velar as intenções fica mais abalado, mudam os frequentadores, muda o clima, as pocs pipocando pra ver se sai veado da moita (a metáfora não fica tão dada se não usar a grafia pro bicho), os tradicionais fixos se revoltando com os privilégios que esses aí tão pedindo hoje-em-dia, saindo mesmo muita bixa e a coisa toda sendo *lacrassaüwm* demais, *pisa-menos, ih-ahazou-vyado,* são nesses termos que a galera se permite mandar foto de bunda e falar abertamente em tesão homoerótico, os pornôs héteros somem, as bixas em stealth também param de se mostrar, as semi-camufladas aproveitam pra conhecer um tipo de gente que esse povo não pode conhecer na vida real, sei-lá como isso funciona, não me perguntem, um povo que sei-lá deve morar na porra da Lua, é nesse tempo que se vê o quanto as figurinhas são um argumento de personalidade, porque só se vê Gretchen, Balls e Tulla Luana, Bolsonaro no corpo da Pabllo de calcinha, Inês Brasil que é preciosa demais e eu amo demais e vou defender até o fim-dos-tempos, gaydares rodando como antenas de porta-aviões, o meme do Miranha no multiverso apontando pra outro Miranha, já vi até saírem do armário *full-storytime*. Eu mantenho o personagem. Não me interessa mais conhecer bixa nenhuma da internet, eu era dos inícios do LDRV e PCTB. Em meio a tudo isso eis-que surge o Lucas, pleno, falsa-timidez de e-boy com jeitão de hétero, foto de perfil daquele jeito dos moleques de tirar em frente a um espelho enorme com o celular escudando uma tetinha, mas de camisa, brusinha de time ou da Adidas, cara séria, cara macha, linha de expressão entre as sobrancelhas, mandando esporadicamente uns ponto-gif mostrando a barriga definida, pegando a mala por cima do short, o máximo de nudez sendo isso, sorrindo e tal, fazendo o que os gpzinhos fazem na internet pra divulgar o trabalho deles sem estragar muito e sem dar spoiler, nada mais NSFW que um feed do insta, logo num grupo desses. Achei que era gp mesmo. Mas ele não tava de ambulante, ele tava de coleguinha. Ele tava de *fazer-amizades*. Isso é diferente. É alguém que tá procurando 'trocar ideia'. Isso significa muito mais um envolvimento emocional que qualquer outra coisa, pique gay-à-procura-de-'relacionamento-sério'-em-app. Aí imagina a chuva de HxH respondendo as fotos dele com 'lindo', 'gato', 'gostoso', 'apaixonante', 'idade?', 'de onde?', lero-lero, por mais que o-tal-do-vale invada esses espaços esporadicamente a coisa volta aos estáveis assim que possível, assim que as yags percebem os sinais e as pústulas da radioatividade, então os HxH tudo nele, que a essa altura tava ilhado, os metedor-pow só emoji de carinha e figurinha do Poze e do Sidoka, e ele agradecendo, muito, respondendo que tinha 21, respondendo que era do Paraguai, mesmo tendo DDD12, mesmo teclando (uau, esse *lexis* sozinho já me denuncia como velha-guarda, valei-me, substituir por: *tc*) o bom português descritivista, ok, vai saber, insinuando que o PV dele tava liberado pra brotheragem e 'conhecer', as autoestimas mais nulas fazendo de thread o quão provável seria que ele não responderia elas, sendo provável mesmo, no ciclo vicioso que a autodepreciação cria enquanto argumento de angariação de interesses, ninguém quer saber que cê se odeia, Mary, ninguém vai achar fofa a intensidade que cê tá colocando nessas coisas que pra quem tá de boa são banais, na esperança de que por pena alguém caia na isca e responda. O jogo velho do duvido-que, só que apelando pra dó. É uma visão distópica, mas tem muito. A gente não pode perder de perspectiva de que pra um autoidentificado-hétero (ou seja lá como a nomenclatura seja esses dias) esses grupos são segunda-a-sexta-das-ideias, são simplesmente a coisa mais perfeita jamais inventada pra de-vez-em-quando manjar rola e ter a rola por homens manjada. Só que pra alguém que teve cu pra encarar no social o o-que-curte-das-ideias esses grupos são o fim-de-carreira da autodepreciação, os assim-de-saúde da saúde nenhuma. Porque, por quê? Entende? Vai numa sauna, vai numa baladinha, vai num bosque qualquer, vai num culto evangélico, vai-na-fé que é certeza que cê encontra. Os grupos são o sigilo fazendo shhhhhshhh-sh pra si mesmo, ou, quando não, uma questão de quantidade, de automação. Na vida real cê não bate a mesma punha com oito pessoas que não se conhecem mais dezesseis em conversas de grupo. O problema dessa segunda coisa, desse desdobramento, é que cê não potencializa nada se cê já não consegue nada pra começo de conversa. O mundo é injusto. A fita é, se cê não é do atraente-clássico ou do atraente-exotizado ou de qualquer outro atraente que se forme enquanto coisa-que-seja, essa tour não é tua. Esse descobrimento sendo descoberto ao vivo por pessoas se rasgando todas pelo mínimo de atenção é coisa feia de se ver, mas fiúra por fiúra, não é coisa à qual eu tenha parte. Por mais tristinha. Não é coisa que eu possa fazer algo sobre. Nisso eu vasculhando minhas fotos da pica (pro Luquinhas), necessitado de alguma coisa nível primeiros nudes no twitter, pau gotejando melzim, pique cogumelo melado, performance de ator pornô treinado, *high-art* e os caraio, o líquido brilhando no flash como catarro de anime sendo o signo do interesse incontrolável, como mostra duma animalidade (ah, não, tô fora de decoloniar essa, me deixem) de uretra e tudo, pra mandar, respondendo uma foto dele com a caption 'olha como cê me deixou', o que é asselvajado (ah, não) e gutural se cê parar pra pensar, é, e sempre funciona pra instigar, e aí no privado já lancei a mensagem padrão, 'aew man, blz?', geralmente os caras falam 'men', acho que é culpa do Stronda, mas 'man' meio que envereda pra ser intercambiavel com 'mano' e 'mn' e o uso interlaçado das duas versões te deixa mais acessível e errádico, a persona clássica, hétero curioso, uma vaguidão plausível entre subúrbio classe-média enturmada e periferia (se eu não toquei muito em questões raciais e de classe é porque, surpreendentemente, não há muito o que se discutir, quem sabe sabe, noventa por cento das atrizes dos pornozões de estúdio que a galera compartilha como parte do quebra-gelo é branca, quando os caras, tanto nos héteros quanto nos solos e nos gays, sendo os gays exceção, são metade-metade, sendo metade de cada metade pardos, ou seja 25-50-25; de levianidade eu posso especular que fingir gostar de mulher inclina pra apreciação desinteressada da branquitude hegemônica {num impulso que acontece no mesmo sentido que perguntar pra alguém que não gosta de futebol o nome dum jogador significa que a coisa vai sempre pra 'Rogerio Seni', 'Messi', 'Sasha Gray'; mas, é lógico, com implicações mais violentas}, essa informação é sempre uma surpresa inicial nas mesas em que eu levanto essa informação, onde sentadas comigo tão muitas das minhas amigas de mulherismo-afrakana, mas depois não é mais, esses pornôs não são uma questão de objetificação e desejo, são função-fática, e quando sequer são alguma coisa são a inserção desses caras na função da mulher, aquele meme do 'nós, as gays afeminadadas' num replay agudo, porque o que se procura é pinto e a atenção de agentes performando uma posição penetrativa omnívora etc. etc. e é mais fácil pro cuír, assumido ou não, consciente ou não, se identificar-com-a e se colocar-no-lugar-da a branquitude, porque o Brasil tem disso, etc. etc., é quando o homem-negro entra em jogo que a coisa se dispõe nos objetificantementes, eu não vou parafrasear Fanon aqui nessa, avançando essa leitura que eu acho que é fundamental e por fundamental é básica e por base assume-se lida, o que rola é que é muito mais difícil pra um cara preto ter pau pequeno nesses grupos porque espera-se, um esperar que hoteps por algum motivo sabem que é racista apesar de acharem ser justificado, mas não é justificável de jeito nenhum, portanto só racista, tenho experiência vasta com os DDIs de Angola, Cabo, Moçamba, das Ilhas, pansatlântico {tudo de pior pra Portugal puta-que-o-pariu} e posso aferir a falsidade do superdote, é triste de ver com que jeito africanos e diáspora com pau pequeno nesses espaços se portam e se apresentam, os ogó-grandes e enomes-Min, como vosso humilde narrador, têm que navegar uma semântica muito perigosa muito-mesmo {não, espera só cê ouvir essa. Senta. Engole primeiro. Para de beber isso. Essa pros anais. Eu tava nas vésperas de me preparar pro começo do período, universidade, se não tá posto, e esse era o ideal na matriz pra Literaturas Africanas de Língua Portuguesa, e pra quem é diáspora esse é um momento muito excitante e desesperador ao mesmo tempo; excitante porque ótimo, finalmente vou acordar cedo pra estudar alguma coisa que me interessa e eu quero tanto e já-era-hora, a chance de desgraçar o nome do Mia Couto, a chance fina de descascar a poética do Mia Couto na frente de todes es sublimes e sair ileso disso, mas desesperador porque o professor é sempre branco, no departamento os poucos neigros já tão raleamente espalhados nas Brasileiras ou gostam de linguística, o que é válido, enfim, desesperador porque Africanas é obrigatória tanto nos bacharelados quanto na licenciatura por causa do Lula ou da Dilma {{por causa da luta do Movimento, eu sei, mas se eu falar isso perde um pouco a graça}}, o que significa que todo tipo de eu-não-sabia-que-em-África {{a região-metropolitana de África, capital da Pangeia}} e eu-enquanto-branco e é-muito-bacana-que-eles e eu-não-sei-o-que-pensar e o-racismo-é-mesmo-estrutural-porque-A-GENTE-encontra--ele-em-todos-os-lugares e o-Sarte-fala-em quando é só calar-a--boca-eu-imploro e deixar *a gente* analisar esse poema da Noémia de Sousa em paz e entre nós, cês podem falar de como descobrir que racismo existe estragou a quarta-feira d'ocês quando for o afro-celta, a gente nem vai ter tempo de sair de Moçambique mesmo, essa é literalmente a única cadeira que a gente pode fazer isso, me deixa encher o bucho nesse buffet de quinze-minutos, mas a brancaiada não cala a boca. Novidade nenhuma. A universidade é o que há de pior. Enfim. Mas isso é cenário. É a parte no começo da peça que é barulhenta de propósito. *Enfim.* Eu tava num desses grupos, postando desinteressadamente meu pau, tão automatizado eu tava, tão dentro de mim a internalização desse cíclico, à toa mesmo, o que eu tenho que colocar é que meu pau é mais claro que eu, não muito. O *disclaimer*. Vai fazer sentido. Aí veio um cara no meu privado falando que tinha achado bonito. No PFP o cara era retinto, tava usando, juro, não é onda, um kufi e um dashiki desses de tecido que imita kente ou é kente de fato, via Bahia, que era o DDD, o subnick só parada de kilombo e tal. Quem-sabe até locks, free-form'd locks, não lembro. Pensei: dahora. Pensei: é o tempo-exuístico e-os-caraio. Porque, apesar de encontrar muitos pretos nesses espaços e nenhum problema quanto a isso em termos de quantidade {{o que já é outro murro na universidade}}, nem nos grupos que eu desconfiava que eram frequentados por nazis, até agora todos que eu encontrei eram sonequinha. Entende o que eu quero dizer? Quer-dizer, tavam lá. E estando lá, fingiam dormir ou de fato fronhavam. Eu tinha a desculpa {{de mim pra mim, se-sê-válida outros quinhentos}} de que eu era personagem e eu sabia. Tinha, por isso mesmo, curiosidade de saber quem também fosse. Vários floreios de queda do drama no PV de galera preta pra ver se eu contactava alguém real-oficial numa vida-privada que eu imaginava por trás da fachada-toda, mas a fachada era tudo. Entende? Brincando com estereótipos, mas aí sem-brincar. Com os brancos também era tudo, não é isso, a diferença era que pra galera racializada eu tava aberto à curiosidade e talvez o contato. Pra thurma, quem-sabe mais. Só da curiosidade de saber o que tava fazendo nessas bandas, não-poucas vezes eu encontrei uma galera à paisana igual-eu nesses terrenos. Cada encontro, uma delícia. E outra, alguém com vestimenta tradicional sempre quebra as primeiras dez barreiras que eu tenho, isso em qualquer sítio e contexto. Faz um tempo eu quero discutir com alguém de-dentro sobre a pudicícia da galera da filosofia *afarakana* no instagram por essas épocas. Uma galera jogando o estereótipo do *castrati* por cima do de negão-pauzudo e achando que tava feita a militância. Quando eu sei bem o que a galera desenhava nas paredes, mesmo que signifique alface ou alfafa. Eu como uma pessoa que já plantou alface selvagem pra me drogar de leve sei o que eles tavam falando antigamente. Se eu puder escolher eu prefiro ser dildo a ser kindle. Se eu tiver que escolher um inanimado. A perdição de muito neguim-aí é achar que se dessexualizando cê se sujeita. Nem assim. Só-se-fosse. Cê só perde tempo de gozar e acesso ao que te faria. No fim eles te assalariam em alguma coisa, só espia. Não adianta pr'ocê te acharem inofensivo. Objeto por objeto que seja um que me valha. Cê só se sujeita encarando de-cara umas certas coisas-postas, uns certos pressupostos, tesão e tudo. Encontrando na tradição. E eu tava começando a encontrar na tradição uns pontos de erotismo livre, tinha acabado de descobrir Anta Diop e tava cravando os dentes em qualquer coisa vagamente kemética. Enfim. Aceitei o PV, eae, eae, quantos anos, tal e tal. Aí ele perguntou se o pau era meu. Falei: sim. Aqui uma pontuação, um adendo. Não é incomum perguntarem se 'krl man esse/a/isso insira-aqui-uma-terminologia-qualquer é seu/ua' porque é um truque pra continuar a conversa enquanto simultaneamente associando essa falsa-desconfiança a uma surpresa e um fator-*uau*, como-se dizendo 'não pode ser seu, caramba, é de ator pornô, é de demiurgo, é um arquétipo masculino de fertilidade', a coisa vai por aí. Porque se for supra-humano, supernatural, sai da dicotomia binária; então eles podem manjar como aos obeliscos. Então nem pisquei. Coisa de todo-dia usarem essa retórica comigo. Fiquei pelado, mandei um *aos-vivos* porque eu já tava envolvido. Eu queria agradar, no simples disso. Já tinha pausado meu dia, o dia anterior à minha primeira aula na cadeira de Africanas. Aí ele falou 'não é não' ou algo do gênero, já sobre essa segunda foto. Nisso eu já rachei. Como assim 'não é não'? Nisso outro ponto, outro adendo. De vez em quanto a dialética do oloko-man-da-onde-é-isso tem como antítese-à-síntese a continuação da dúvida, até que de fato cê mande uma foto do seu pau do lado da sua mão fazendo qualquer verificação de que não se trata de um robô, o símbolo do CV, o número do CVV em contagem antiga no nós dos dedos, qualquer coisa, qualquer coisa que signifique *mais uma* foto do seu pinto e a conversa indo pra frente. Achei que era isso. Achei que era a pira dele querer saber se a foto era de-agora, porque muitos têm tesão nisso. Mas não, meu. *I shit you not,* o irmão falou, parafraseio porque printei, 'queria uma foto sua pq vc é negro e na foto mostra um pau branco mano não entendi'. Que meu pau era branco e na foto de perfil eu era preto. Em anexo a PFP em que eu era negro. Risos. De-mim-pra-mim, no que toca à segunda parte, obrigado. Quando a supremacia--branca tá tentando te assimilar desde criança, toda pessoa preta me chamando de preto me ganha, pode pedir qualquer coisa. Mas aí o rolê propriamente dito, primeira-parte inclusa, aí não. Tá que eu sou pardinho, possivelmente de produção birracial {{isso é toda uma questão que fica pra outro dia}}, mas não é coisa de se cortar na cintura. Rachei e tentei dar o amigável de explicar que podia ser a iluminação e o flash. Uma coisa que é importante na filmografia de nudes {{eu não gosto da palavra *nude* ou a corruptela *nud*, pelo mesmo motivo anteriormente assinalado ao emoji de diabinho, não que isso tenha nada-a-ver com nada}} com celulares baratos é que o flash é indispensável pro foco automático, mesmo de dia, mesmo em ambiente exterior. Cê pega, liga o flash, ajuda a focar a câmera frontal com a luz do flash naqueles toques de tela, tira umas três fotos seguidas porque tem qualquer coisa de aleatório nisso tudo, escolhe da galeria pra mandar, assim vai, e a foto sai cinquenta vezes melhor do que a *possibilidade* da foto mais espontânea. O mesmo pra vídeo, com o cirúrgico da coisa sendo que vídeo é um-só pra cada ação e o foco se faz na hora, quem--sabe-faz *typ'of-dealio*. Foto sem flash parece untada na manteiga, bom pra quem tem muita textura na cabeça da pica, pra quem tem problema-de-autoestima com as glândulas de Tyson ou alguma coisa assim, pra quem não gosta de hidratar o pau etc. Mas quem tem cabeção brilhante perde o charme e os detalhes que fazem a diferença. E vídeo fica escuro demais com exceção de quando na luz solar, o que não é toda-hora possível e quando possível atrai muito voyeur de *coisa-pública,* o que não é muito minha onda, pelo menos não toda-hora. Não expliquei isso tudo pra ele, lógico, porque é meio óbvio pra quem tá no ramo, mas ainda deixei a entender que meu pau é mais claro mesmo sem muita paixão no argumento. Porque é. Porque ele, meu pau, tava na minha mão aquela hora mesmo, e contra fatos é difícil. Meu desconforto com a palavra 'rosinha' e o racismo inerente a isso é justificado, justificável e justamente uma das piores coisas que acontecem comigo nesses rolês, ser lembrado dessa *pre-fe-rên-cia* ao ser incluído nas ditas-benesses dela. Coisa que acontece mais raramente do que parece, mas é *sintomal* como coisa toda vez que sim. Mas meu pau é mais claro, nada a fazer sobre. Sóis-demais *bottomless* pra provar {{que apesar de mudar o tom, principalmente no corpo e na base, uns três pantones mais-escuro, não é coisa de afetar a pele da glande que, assim como a pele dos lábios, tem todo o seu rolê próprio com a questão da melanina}}. Não gostar, respeitar. Mas ele já tava na onda dele achando que eu tinha uma pasta de pinto de outra pessoa que eu tava usando pra trucar otário e que o problema dos negros do Brasil e tal e tal e tanto mais que o-pariu viu. Não que eu não-tivesse pasta de pinto na época, mas não pra isso. Parafraseio o print que se deu em continuação a isso, de novo exatamente como foi, documento {{no-aguardo de ISBN pra publicação na íntegra}}: *'Mano duas coisas bem graves nessa ideia 1 a foto não é sua mano se tá divulgando foto de pau alheio ((isso é chato e totalmente inconveniente, afinal mostra que tu não é bem resolvido com o seu corpo)) 2 mostra o quanto o embranquecimento* {{ ! }} *está enraizado no pensamento do negro brasileiro* {{ ! }} *não é so pau da foto que é branco a pessoa da foto é branca* {{ ! }} *e geralmente o pau da pessoa mostra a cor dela* {{ ! }} *por mais que seja uma parte que não pega sol mas mesmo assim ela não é modificada pela luz do sol* {{ !!! }} *então parceiro para de mentir mano se toca* {{como se eu não tivesse batendo uma}} *e assume primeiro sua cor sua raça tenho* {{*sic*, e eu não quero ficar *sic*ando a fala duma pessoa preta num gênero distenso porque pega mal demais e é passação, mas eu vou dar uma de Neusa Santos Souza já que ele se achou no direito de fazer o mesmo comigo, acho que esse ato falho *desloca* uma lógica, acho que *diz*}} *orgulhos dos seus ancestrais* {{quais, parceiro? cê nem me conhece assim}} *é triste saber que tem gente que se esconde e não se assume como negro me dizer que é efeito do flash é dizer que eu tô bobo hahahahahaha se loco mano se tu soubesse o valor que o preto tem se pintava de piche pra fica no seu caso mais preto* {{eu admiro a audácia}} *tb assim diria Gil* {{eu até hoje não sei se é uma frase que ele falou, se é letra de múscia *{{{*quem é que pega pra ouvir Gil em tempo livre que se tem pra ouvir Djavan? tô zoando, 'jogar as nádegas/ na degustação do ritmo' é absolutamente genial, ponto pro Gil*}}}*, ou se foi a Preta Gil, é meio a vibe dela, fica o *post it* pra eu dar um ctrl+f e ver *{{{*se bem que a família-extendida dele *só* se se--pintando de pixe mesmo, porque tá osso*}}}*}} *boa sorte nas suas mentiras*. Fim da thread. Como diriam os juristas, *ad litteris et verbis*. Verbatim. Tim-tim por tim-tim assim-de-saúde daaaas-i-deeeeeeeeeias. Amadoh. O impacto foi de-tão-tremendo que eu printei essa cena e tenho o arquivo até hoje {{aguardando aprovação do Registro de Obras Autorais na Biblioteca Nacional}}. É devastador porque ele tava passando por umas piras todas-dele e que eu entendo demais. Sofri mais pela pessoa-dele do que pela minha. Bora se botar pra imaginar, se aquele pau não fosse meu, se eu não fosse mesmo um depravado exibicionista, que tipo de raça-primeiro ele tava achando que tava me fazendo pensar-sobre me desossando sem nem conversar comigo? Foi exatamente assim: oi, oi, o pau não é seu Uncle Reckus, cê se odeia, cê se odeia tanto-que, I remember you was conflicted... Depois disso eu ainda tive tempo de mandar 'Primeira coisa é a porra do meu pau, você {{e quando eu desdobro um 'você' inteiro, ainda mais escrito, é foda}} tá metendo cinquenta mil colorismos {{porque nessa época eu achava que, como pardo, eu podia usar a palavra ao meu favor, o mico, mas o abstrato da coisa ainda vale}} pra cima duma pessoa que você nem conhece' e uma foto de corpo com pau. Ainda meti essa. Mandei tomar no cu e pra Cuca pegar. Tive que mandar de-corpo, meu. Me senti nessa pira, correndo, antes que me bloqueasse, que eu sabia que ia, porque senão ele ia morrer sem saber o patético que ele tinha pagado ali. Isso é coisa que arrasta e vive pra-sempre. Mandei uma do-corpo pra quem capou meu pau fora e ainda falou que não era meu. Mandei rosto e tudo no espelho, porque rosto era tudo que tinha na foto de perfil. Coisa que eu não costumava mandar porque, *touché*, eu tinha mal-resolvidos com meu corpo: tinha problema com meus ombros, dismorfia pesadíssima, eu queria a forma androgênica, eu queria shoulder-to-hips-ratio e não tinha. Eu queria o formato de tesoura chamitão-maroto que a natação me tinha prometido antes de eu desistir. Aí me bloqueou, o fella-dapu. Imagina, mandar um bloco com todo esse texto e correr pra bloquear a pessoa. Não era militância, óbvio, era uma trip toda dele, já disse. Agora do meu lado, a questão é que eu tava lá no mesmo corpo que o meu pau e não podia ajudar o cara a entender que a gente podia muito malhar a miscigenação enquanto processo intrínseco ao genocídio negro, *pra além* de bater punheta junto na cam que era o implícito da coisa toda acontecendo em primeiro lugar, *ou* se ele quisesse outras fotos de rosto. Eu tenho que saber tirar o meu da reta quando não é comigo, não era. Uns anos atrás e eu ia ficar numa de 'será que eu sou mesmo negro', mas já passou, a conversa já tá em outra, coletivamente. De-passagem, esse texto vai ficar pra sempre comigo como tipo-fixo de como eu imagino ser o monólogo interno das pessoas analisando minha composição racial, e eu acho graça demais disso. Mas insinuar que eu tenho problema com meu corpo sem sequer imaginar que podia ser com o tamanho do meu pau, como cara negro que ele era {{é, espero, ainda}}, exitindo sob o mesmo escrutínio e expectativa de superdote, foi um show de empatia. No fim, kufi e tudo, ele também tava de cochilo. Todos tão, nesses espaços. É o requisito pra tarem. Não é comum a coexistência de tesão com esse nível de abstração e consciência, se eu consigo é porque eu sou tarado. O que sacar dessa história que eu te sentei pra ouvir, talvez não fosse pra tanto, é que há alguma coisa aí. Da minha parte, só digo o que eu disse. Algum cara que ele conversou já fez isso? Ele já fez isso e projetou? Não é como se da multicidade e complexidade duma existência africana em diáspora e seu corpo-político, diga-se-de-passagem-de-todo-objetificado, a parte-do-corpo do pinto-de-homem seja o ponto de contingência da branquitude-e-agregados que gostam de piroca. Não é, né, gato? Mesmo a trupe do 'rosadinho', mostre um grande e o assunto se assenta. Não é como se o falocentrismo se sentisse desconfortável em transformar homens pretos em tripés ambulantes. Muito pelo contrário. Então qual é o ponto? Entende? Se meu pau fosse pequeno e por isso eu tivesse usando um outro pau como persona, cadê a porra do caralho da desgraça do ubuntu nessa merda? Fosse uma questão de tamanho não seria uma questão de cor. Dixavo ainda mais, porque eu possuindo o índice de pau-negro eu trocaria pelo de pau-branco, sendo pau uma das únicas migalhas que fomos permitidos comer desde muito antes dos anos oitenta? Só-se, seguindo essa lógica, eu tivesse pau pequeno. Porque aí é a anulação até-mesmo desse espaço circunscrito de apreciação. Sendo assim, não era sobre cor, explicitamente. E pra chegar nessa análise do implícito da coisa eu não fiz uso do texto dele, não tem nada aí na direção de me ajudar de qualquer maneira. Além de massacrar um desconhecido sendo empoderado-than-thou, o que isso diz? Afrocentrado ou não, sapiente ou sonequinha, nenhum neigro quer ser sintoma do racismo internalizado. Não, não é isso, é que, mas, não, cê tem que entender, quando eu era moleke, não-é-racista-só-reproduz-racismo, et cetera. Esses espaços, grupos de punheta e tal, não vão te acolher nessa complexidade. Se fecha. Cê vai espiralar, igual esse cara que já tava nos beiços do ralo tapando o fluxo. Então não recomendo. Se cê tiver de-boas, well. Se for sua onda, garanto gozos. Se cê tiver essas nuances no bojo da manga, tudo fica mais fácil. Ainda é mais seguro do que se meter numa universidade pública em termos de saúde mental e segurança de vida. Ainda não encontrei nesses grupos ninguém pra discutir filosofia nenhuma, quer dizer, ninguém além do Luquinhas, que também é pardola. Na universidade também não, de-passagem. Luquinhas, que era o assunto onde eu tava antes, e voltando, finalmente}, e esse perigo é pouco-evidente pros participantes. Assim como em qualquer outro lugar integrado, o cadáver-verde da democracia racial é quem dita a dança e faz o DJ. Aí a questão de classe, pra concluir o pensamento, imbricada: nada. Nihil. Há coisas que o dinheiro não compra, faz muito mais fama a parede sem reboco que a limpinha refletindo a luz mais-que-viada, de-revirar-estômago, do teclado RGB. Nunca vi ninguém julgar ninguém por fonte-de-renda, longe disso, fetichização de trabalhos manuais e tradicionalmente masculinos rola solta como em qualquer outro covil de GGGG-, por causa da masculinidade tradicional e nada mais. Colarinho-branco só tinha biscoito se fosse bombado, esse foi meu testemunho, embora eu tenha meus próprios vieses. Lógico que por trás de qualquer corpo escultural tem um investimento, mesmo nos corpos pobres, mesmo nos corpos pobres que trabalham pesado, mas como eu postulei, corpo não é um fator tão grande. Facilmente se ignora um bombado de piru mixuruca...). Plano traçado, eu sozinho no quarto, as roupas vazaram rápido de mim (lembrando, tô falando do Luquinha), acabando o seguimento de fotos e vídeos já gravados eu gravaria mais. Entenda uma coisa. Quando cê tá há tanto tempo quanto eu tava nessa vida, o celular, o aparelho, vai sofrendo um tipo de atrofia interna conforme cada vez mais da memória é usada pra pornografias diversas, 8GB não é nada, dezesseis é sequer funcional, eu precisei comprar um cartão-de-memória de 32G pra ele parar de desligar sozinho, e digo pornografia em níveis, pornografia propriamente dita, pornozão-mermo, pornografia no sentido de caras mandando fotos e vídeos do pau, e, ainda, pornografia no sentido mais profundo d'ocê ter uma caralhada de material centrando o seu próprio caralho por causa do tempo que cê investiu conversando e trocando e montando um tipo de Onlyfans que ninguém vai ver na íntegra ou pagar-por.

Os nudes, a cultura dos nudes. A e-co-no-mia deles. Meu negócio nesse negócio-todo sempre foi mostrar meu pau. Principalmente mostrar meu pau pra cara casado. Pronto, falei tô liso. E quando cê tem tantas threads particulares de fotos e vídeos do seu pau interagindo espontaneamente no roteiro de conversa com homem, que quem conhece homem pode imaginar a espontaneidade, coisa que não muda muito duma ocasião pra outra, cê começa a reutilizar. Cê começa a perceber que aquele vídeo que tá te pesando 200MB porque a sua câmera acha que é mais bonekah do que ela realmente é, pode se fazer valer umas duas, três, cente-setente-oito vezes o próprio valor. A versão amadora da coisa é só reutilizar e pronto, cê tá trocando melhores-momentos com o outro, ângulos bons, dias especialmente cardíacos, dá pra ver que uma mídia é dum short e de dia, a próxima é outro short e de noite, os pisos não batem, já passaram meses e os chinelos não batem mais também, numa os pentelhos tão aparados etc. Quando a coisa escala e cês dois tão na onda, nesse caso, cê tem que entrar live e criar uma narrativa coerente de como que cê tá agora, o que é trampo do mesmo jeito. Ainda mais conversando com cinco simultâneos numa aula porre de Sintaxe I que eu levei o notebook pra fingir que escrevia como se fosse caderno. Muitos exigem esse 'arrumando-oq-ae'-tipo-de-envolvimento libidinal, porque do outro lado o cara tá estacionando a própria vida pra mostrar o pau dele em *reação* ao seu pau. Muitos, e isso foi especialmente excitante pra mim numa época, tão no trampo esperando desesperadamente o tempo de picar o cartão e desentortar o pau de dentro da calça jeans pra me mostrar. O tesão como consequência de algo erógeno, que é seu pau pra ele enquanto coisa capaz de tirar o cara (vou te lembrando de vez em quando, porque, eu sei, é difícil, leva tempo, o cara que tinha que ser *hétero)* do seu normal. Pelos motivos mui-bem desenvolvidos acima. Ele tá de-agora agoramente falando comigo, portanto espera-se que eu também teja, ou ao-menos teja disposto a também estar. Com isso, a exigência do *agora* por parte do outro vem da necessidade desse outro também ser algo erógeno pra reação do *seu* pau. *Meu* pau, no caso. Senão, por que não? Que que cê tá fazendo? Saca? É até estranho. Pra quê que cê tá conversando então senão pra isso. É bait? É desinteresse específico? Tipo, cê acha o cara desinteressante e tá só na-educação mantendo a conversa ali e tal. Se for, autoestima. E autoestima é uma coisa brochante de tematizar. Mas as pessoas são bem sensíveis pra quando cê tá sendo só educado, homem especialmente é perspicaz-demais em perceber isso com outros *homens*. Então eu precisava, pensando nos meus vídeos, de um álibi. Fossem todos os vídeos 'de agora' o 'e agora como cê tá' não ia aparecer como gradação do desejo mas sim como estado-das-coisas, portanto não ia nem ser coisa a se ser assuntada. É bem aí que entra a versão profissional da coisa (ou o *método* que eu desenvolvi, não dispenso de-todo a possibilidade de workshopar essas ideias e fazer uma graninha, a patente e o trademark já tão no caminho), que é organizar os reutilizáveis da galeria de tal maneira a dar a impressão àquele que interage contigo de que cê tá lá cento-e-um-porcento na conversa com o cacete todo melado nossa-cara-pqp-nem-sei etc. Carne-e-boner ou o digital equivalente. Organizar os reutilizáveis da galeria na intenção de fazer a coisa fluir sempre como se fosse ao-vivo e em resposta a estímulos e concordante ao horário em termos de iluminação e sonoplastia. Pra isso, outras conversas, roteirizadas, como eu já disse, servem de base. Alguns vídeos pulsando na cueca ou no short, eu prefiro short sem cueca, tanto na-vida quando no-personagem, é de-conhecimento que é mais efetivo. Tem quem curta cueca, fica sem dizer, dizendo. Mas vim a entender que o cara que vive no sigilão tem um inclinamento só-dele a procurar o formato da coisa nos relevos do tactel, assim como proporcionar esse relevo aos semelhantes, assim como, e isso é o principal, fantasiar o escalamento da coisa pra um outro patamar. Isso sem fazer muito cálculo sobre exibicionismo e voyeurismo. Aí alguns vídeos de manchas de pré-gozo, um truque aleatório, um trunfo à minha disposição, minha glândula bulbouretral faz boa parte do heavylifting de interesses. É como se fosse um índice de virilidade e sabe-se-lá-o-que que por-deus eles acham de tão-interessante nisso. É bonito de ver, isso até mesmo eu vejo. Mas eu fico até corado de tentar botar em palavras o quanto essa galera acha isso interessante, então recedo. Alguns vídeos da cabeça escapando, pela perna, pela cintura. Assim segue. Improvisos. O contexto é: mina viajou, tesão demais, chorando de saudades da buceta dela, segue. Cê também tem que ter algum *flair*, seguir o *flow*, o mundo não é tão mecânico (no sentido pejorativo que a revolução industrial influi pra 'mecânico'; não no sentido que deveríamos ter pra mecânico se resgatando um estado anterior das coisas, não tem nada de errado no mecanismo do mundo, o mundo é *só* mecânico, tudo é mecânico, o Sol é mecânico, yoga é mecânico, o Nilo é mecânico). O que, por si só, é criatividade performática. É arte, baby, *boralá*. Assim como tudo nessa história, é performático e duma delicadeza-bailarina. Arte é qualquer coisa premeditada, mesmo e *principalmente* quando dá-na-hora. Significa que, quando eu tô gravando as coisas de 24 em 24 segundos, que é o limite do zap, eu tô pensando não só no efeito imediato que os vídeos vão ter na pessoa imediata que tá conversando comigo e interagindo-barra-maquinando comigo sexualmente, que, okay, já ia acontecer mesmo, eu já ia socar essa bronha, mas aí entra o *mais* de pensar na sindicação dessa performance. O *plus.* Pensar no reuso recontextualizado, no quão vaga a coisa pode ser agora pra servir ao mesmo propósito em/com diferentes públicos e em contextos diversos. Basicamente nessas horas eu sou a Disney pensando na China. No que se eu cortar aqui não vai atrapalhar o todo. Quando eu tiver almoçando mas não quiser perder a chance de fisgar um bombadão-de-academia que apareceu perguntando cadê os man-het pra trocar ideia e que periga nunca mais aparecer no grupo de novo, insurpresamente os mais gostosinhos só pintam uma vez, e as chances de fisgar são enormes se eu só interagir, e, portanto, eu queira fisgar, eu não preciso parar meu almoço. Imagina parar meu almoço pra cada pinto-de-homem que eu quero ver? Parei muitos. Mas continuar parando? Etc. De repente eu tava produzindo *conteúdos*. Ai. Que tristeza. Que desgosto de mim. Produzir *conteúdos* não. Não, mamãe. De repente eu me percebi parecendo uma pornô. Conseguindo um corpo-padrão, granas, quem sabe. Mais granas. Onlyfans, amores, onlyfans. Aqui é que se faz o drift no fechado do arco temático da espontaneidade enquanto assunto que a gente tá tendo. Vamos tematizar a espontaneidade aqui. Esse workshop foca nas potencialidades da *guae einpowderahdah* que se descobre poderosamente potencial, na potência de que poderá talvez... Mas de volta ao Luquinhas...]

* * *

Bolar um. Não, já tem. Ge-ni-al. Mandou bem. Escrever aquela notinha marota pra mim-mesmo, pro meu eu sóbrio, elogiando a perspicácia de saber que meu fino-motor não tá nas melhores pra lá das três horas da onda de doce. A lidocaína é pra isso. Não sei muito a ciência da coisa. Mas geralmente é só no óleo-de-coco e blau-blau. Sóbrio é o óleo-de-coco só no bico da chuqueira e no comecinho das socadas, já serve. O atrito faz o resto e faz parte do projeto de experiência. O que eu tenho com a sensação de entrar seco eu não sei. Mas é sóbrio que o pulso tem a manha. Já dropei, já fumei, já bebi, cheirei a raspinha do tacho de key que tinha ainda no bullet. Só as pedrinhas de rim. Se eu também cheirei pó ou não eu não saberia dizer e se soubesse é comigo e meu anjinho-da-guarda essa informação. Emular que tá no cuspe *a essas horas* vai me tirar do clima numa velocidade que vai parecer que eu tô propulsionado a jato. Tivesse mais padê ainda eu ia. Fodasse. Cabou. Mas acho que tô até-que espaçando as coisas. Eu preciso é comer. Qualquer coisa faço a chuca de novo. Quero bater meu recorde. O recorde é nove horas de-relógio... [Isso, no começo. Luquinhas era da época que eu tava aprendendo os kuleshov da coisa. Os trem tudo mal filmado. Por algum motivo que me escapa eu parei um tempo de usar flash e nada dessa época valia nada. A continuidade, se alguém pegasse pra analisar, pegava que era fake. Aquele quadro antiiiigo no Fantástico. Não o vídeo no seu intratextual, mas na conexão dum pro outro que tava colocada e que era mais-da-metade da graça. Provando que eu tava lá entremeios, olhando, babando pelo canto da boca. Gooner, bater. Principalmente na sonoplastia as coisas descontinuavam. Morar de aluguel em bairro operário tem disso. Quando eu fiquei melhor na coisa, dava pra acompanhar as vizinhas falando da neta da Cidinha que namorou o filho do pastor na época que descobriram que o pai dele era primo de-segundo da própria esposa, nos anos sessenta, que a neta da Cidinha, neta da Cidinha, muié, a filha da comadre Janete que trabalhava na merenda do EMEI perto da padaria do Jão Carlos e que sofreu aquele acidente na perna, sabe sim, que a tal-neta neta da Cidinha tava muito doente mas que Ritinha, Zuleika, o primo do Jão Carlos que é bixeiro, até a própria Cidinha, que pelo que pude ouvir era a fonte dessa quente sendo contada, a informante-toda, todos achavam que ela (a neta da Cidinha) tava era-na-verdade grávida do dono-da-boca perto da quadra porque a doença tava-que-parecia enjoo; tudo isso e detalhes, no fundo dos vídeos, do primeiro que eu tô de roupa até o último em que eu faço o sinal do Ronaldinho em cima da minha barriga toda melada de porra. Eu fiquei impecável. Eu fiquei fora de controle. Tinha gente que recebia como joia-rara o que eu distribuía como panfletos de *compro ouro*. Eu fiz muita gente gozar de graça nesses anos com o mínimo do esforço possível pra cada um individualmente. Meu karma tá soltando fagulha de tão positivo. Não era eu que tava sendo usado, chega da infantilização do Outro pelo discursinho da auto-objetificação, né, bora lá. Passa amanhã. Sequer me erre, começo-de-conversa nem me mira. Não tô aqui na capacidade de quem desenvolve uma tese? Não tô aqui na capacidade de quem sabe sentar consigo em pensamentos? Bora lá, galerinha. Não que eu não tava, também, quero dizer, o uso é sempre coisa de se ver por trás da miragem de tantas outras coisas, mas não só, não era como se eu tirasse uma de só servir ao propósito do tesão deles, servia também, mas a complexidade da premissa da coisa, após certo ponto, era que eram eles que serviam a esse tesão, era com os dedos e voz deles que se demonstravam ao propósito dele, do tesão, no desvelamento, em o revelarem pra mim, em me pedirem coisas, poses, planos, quando nem ali era pra tarem, e eu ter meu quarto organizado de tal maneira e os sons ao redor e a iluminação, que se eu quisesse fazer esses pedidos eu entrava no meio da corrente de vídeos e fazia. Quando a resistência e a overdose tão tão-juntas que se roçam. Jornal do-dia e saco na cabeça...]

* * *

Silêncio. Tragadas. Eu fazendo uma expressão. Fosse eu ver, não posso. Faz mais de mês, eu fiz um acordo comigo de não ficar fritando em reflexo meu em espelho. Prometi dedinho-e-tudo. Não dá bom. Tá criando umas paradas longo-prazo. Sei lá. Esquisito. Mas sou exhib. Vai saber... [De cada qual de acordo com os truques e a cada qual de acordo com as tretas, não? Essa sujeitação a partir da maleabilidade e do *controle* do desejo do masculino não é um processo acessível. Nem pra mim, eu que trapaceei. Eu não sou passável *assim*. Eu que aumentei o que era grande e diminuí pra fora de frame o que era minúsculo. Isso não é sequer uma *jornada*. Não é a solução de nada. É passatempo e como tal totalmente legítimo. Entendo demais que a dimensão sexual-afetiva dos traumas raciais aponte na direção de achar tudo isso problemático demais, mas, dentro desse entendimento, tô suave. Muitos-demais dos nossos com os dedos espalmados no peito me perguntando mas-e-aí-Luan-como-cê-se-sente-sendo-objetificado-assim-e-tal-e-tal enquanto eu desenhava com o dedo no ar as formas geométricas de tudo que eu tô cagando pra opinião de uaite, e eles, ainda, dedos espalmados no peito, agarrando o coração pelas bordas do peito, em não-mas-e-o-que-eles-acham. De vez em quando é sobre política de respeitabilidade e é bom se assumir, se seje. Mas chega de me desculpar. Tô bem garantido na minha humanidade e ela perpassa pelo meu pinto que, mais que não, perpassa pela internet. Luquinhas, continuar a história, ok. Animado pela conversa com ele, vídeos da galeria, gravar novos encaixando como se fossem uma sequência, toda a produção, toda a cinematografia, ascendência perfeita pra chamada de vídeo, se houvesse. Meu celular tremendo igual pinscher na minha mão da galera caindo na do PV liberado, ele ciscando a isca, a isca balançando e pulsando e tremelicando na água, tudo do mais comum. Chegou elogiando o tamanho, tanto do pau quando da cabeça-dele, a boniteza, os pelos da perna, a mata de pentelhos sem corte nenhum, um terreno de prefeitura no auge do verão etc., dizendo tudo que é praxe de quem curte mesmo e não vai fingir que não, ele tava lá na posição de curioso indo até os finalmentes. Então ele curtia, óbvio. Então ele mandou o dele, foto amadoríssima, tem quem consiga desfocar foto estática de iPhone, peladão, de baixo pra cima, uma das mãos apertando a base pra dar volume nas veias, com (alerta de gatilho:) flash, um pirulito alongado com o brilho baço da primeira lambida, a imaginação já carro de luxo roncando. O resumo-da-ópera é que virei macho desse fuckboy, que me pediu pra gravar uns vídeos falando o nome dele e 'putaria', xingando ele, antes disso já metendo muito a ideia de chupar meu pau, migrando minha voz pro fundo da garganta, já rouca de cigarro, longe do meu controle, engrossei a voz mesmo, e daí? De-resumo, segui ele no insta e descobri uma bichinha. De Aretuza e Davi Sabbag pra baixo as legendas das fotos, Luísa Sonza e outras coisas de gaezinha sem grandes opiniões. Passiva radpass das-ideias. Éramos duas passivas mostrando só pinto uma pra outra, acho que essa história é sobre isso. A passação. Duas cerceadas. Na disfarçaria. Truco, seis, nove, doze. Todos somos um bando de bichinhas, performando. A revelação primeira se emula na segunda. Graça. Não que eu seja realmente radpass, não mais, mas na época eu era. E, lembrando dessa época, essa época que eu me considerava radpass, momento algum eu comentei sobre meu cu, que, digo-por-falar, também é uma graça. Mas aí é que entra, Luquinhas no instagram uma bichona, eu uma bichona em todos os lugares da vida digital e IRL. Rolou toda uma história dele finalmente se assumindo pra família e me contando achando que ia me inspirar e eu ter que buscar um pouco de dignidade e empatia dentro de mim pra confessar pra ele que eu sou publicamente comunidade letra-de-sopinhas desde os quinze anos de idade. E que todas as vezes que ele tava sendo cem-por-cento honesto comigo contando da vida dele, ele graduando em medicina, me disse, mostrou o jaleco, reclamou da falta de tempo pra passagem de tempo que queria ter comigo, que todas as vezes que continuamos conversando até o tesão virar carinho, quereres escritos e concordantes, a imagem fixa de nós dormindo de conchinha, eu na maior, e tal e tal e tudo, que eu era o primeiro cara que ele sentia isso (uma mentira óbvia) e era o primeiro cara com quem ele se sentia confortável pra conversar sobre esses sentimentos (o que, muito cruel, eu creio ter sido verdade), que do lado de lá eu tava dez-por-cento do cérebro inventando altas lorotas e histórias, mas de fato interessado nele. Enquanto tecíamos cenários de pegação sigilosa, eu escondia que meu interesse por ele não tinha nada do tabu e do proibido que o sigilo sugere porque ninguém que me conhece ou anda comigo ia olhar meia vez a mais pra eu pegando homem em público. Ele se assumiu bi. E enquanto ele se assumia bi de-fato sepá eu tava lidando com uma descoberta-e-aceitação bissexual, mas isso não tinha nada a ver com homem, hora nenhuma. Isso tudo bateu em mim com um requinte de malignidade que aos poucos me fez parar de frequentar os zaps da vida. Real existe cara por aí que tá trinta anos adentro na fita de se 'descobrir' e tudo mais, e minha proficiência em pescar quem tá nessa pira e girar em círculos ao redor dos códigos e dos signos inerentes a tudo isso, mesmo com consentimento, mesmo fazendo eles gozarem pra caralho, mesmo fazendo alguns entrarem na epifania de finalmente se descobrirem e tal; que essa minha proficiência, em algum nível, um nível bem filosófico e arrastado, que é um dos níveis que eu mais trabalho, em um nível é cruel com eles e um pouco escroto. É como chamar de otário, é trabalhar com uma informação que eles acham e dependem de-achar que conseguiram esconder dos outros. Mas não. Porque fica implícito que eu sou mais sagaz e tal e tudo etc. E isso é meio ruim e eu tenho que parar. Ah. Eu achando que o gatinho era um porta, dasideiasmente falando, certo? Mas outro dia, que já éramos migas, ele me veio falando que tava na pira de escrever sobre o mistifório da ficção científica de disseminação massificada (as palavras), que Atlântida não é nada mais que o sonho sem-jeito de que impérios poderiam ter se construído em-isolado nos mares do norte, apropriação cultural *avant la lettre* das arquiteturas pré-colombianas ao redor do mundo, só que desbraçada da Europa, recontextualizada pra Europa, partindo dessa linhagem, quando na verdade os caras em buracos na terra, ele foi dizendo, não entendi muito bem, eu tava chapadão esse dia, falou de arqueologia e colonialismo, ele disse que era só um esboço de ideia, que mais dia menos dia vinha o objeto de armadura por trás de tudo isso, completamente formado. Que ele tinha lido um texto meu e achou que eu ia achar isso interessante. Justo. Concordei meio-assim, não que a ideia fosse ruim em qualquer nível, só que era uma ideia, e dessas eu já tava cheio. Que ele tinha a teoria de que os quatro primordiais órficos representavam a passagem do tempo, no sentido mais amplo e supra-humano, Chronos é o presente, o momento, o campo de ação almejado pelas tatuagens de carpe-diem, Ananke é o futuro do fim, nessa definição dale morfossintaxe latina, o que encaixa na narrativa mitológica, sendo Eros o passado-da-criação e o elo entre as coisas, vide o significado amplo de amor pros new-age, ou algo assim, e Protogonus algo-mais que tal-e-tal-e-qualquer--coisa que a forma convoluta com que ele me contava essa pira não me fez gravar, mas tudo muito sofisticado. Meu desinteresse por essas piras gregas me fez fazer a fina, ainda mais maconhado, mas tudo bem enxuto, tudo bem terroso, ele tinha na parede do quarto dele uma espécie de cabala e tudo, e que isso tinha uma ligação profunda com a cosmogonia bakongo, indicando que, mais uma vez, os brancos devem tudo ao Kemet e ao que roubaram de lá. E eu, que também fingia ser uma porta, ainda, sem motivo nenhum mais, mas eu tenho dessas, em 'sure, bestie'. Work. A essa altura eu tava frígido, mas somos migas. Não que seja desinteressante. Tem muita semostração envolvida. Sapiossexualidade é só a demofobia mal-disfarçada. É que não importa o quão bonito o sujeito, quando ele começa com essas ideias eu tô offzão, credo, incluso-fora-dessa, já não basta ter que picotar e cheirar ritalina pra ver aula...]

* * *

E eu aqui. Gasto. Sete horas adentro. Falta pouco. Mais que gasto, gastando... [Mas tem coisa que, de conversa, deixo. Melhor nem pensar. Os héteros também não se fantasiam? Sei-lá, bombeiro, não é ser PM toda uma fantasia nos motivos? A quantidade de PM nesses grupos, tratei como se fossem normais. Então relaxa, relax, sobe o zíper da braguilha e abre o botão, abaixa o volume da televisão e me escuta pelo telefone: é tudo fantasia. Ficar fuçando na essência é mais sintoma de falta de sossego que qualquer outra coisa. Muitos dos caras que tão pagando de total-hétero sabem que não são e tão de manha. A gravidade coexiste mas não segura pérolas. Analisar é se envolver. Sou eu de rebordosa duma leitada, estando deitado, socando, e a autodepreciação surfando em abstracionismos. Qualquer forma de tortura mental sendo pra mim só mais uma quarta-feira. O desvio sendo talvez a denúncia, o problema, se é que há. Da literatura, talvez, talvez seja esse, há muito quem escreve tem o ficcional como um direito inalienável, os machoilos da prosa policial com as armas de brinquedo do lado da máquina-besouro-cu, sim, signos crivados, criatividade acanalhada, rabo preso, caixa-dois, sim, os resultados previsíveis como aquele brinquedo de papel dobrado de ditar um número de aberturas e escolher entre as quatro cores que ficarem, pra ler a sorte, tudo tão baço, tudo tão basal. É só saber contar. É só saber o que tá escrito por baixo de cada cor. Se cria certa expectativa. E aqui estamos. Se encaixando no mesmo spot de pique-esconde, no mesmo point. É só entender o que significa cada codificação cromática nos tons das canetinhas, ou de qualquer outra coisa. Perceber o quanto que na abertura do meu terceiro decênio de vida eu não sinto a necessidade de impressionar ninguém nem fazer média, tô ao-sol, mas se eu tiver meia hora de fingimento eu vingo. E chega de conversas banais sobre habilidades que desenvolvi só pra isso, enumerando unicidades, inequânimes próprios, toda a trajetória do bacharel-mulato, credo, dispenso, vou trancar matrícula, chega dessas coisas que me justificariam enquanto ser vivente numa lógica que já me passou, que me convenceria útil, fazedor, fazendo valer os litros e litros de ar que consumi, só que a quem, pra quê, a qual fim etc. No fim o consumo é coisa com nascedouro. Agora, agora que já impressionei a mim mesmo, um tão-autocrítico, um tão-injusto-consigo, plateia ingrata, que extrapolei todas as expectativas que nunca sequer saberia ter formulado e tô tranquilo. Já falei, tô de boas. Pra quem nunca teve nada, sou bem piçalhão, é o que disseram. Mesmo se não fosse. Mas, também, tô no meu direito reptiliano, a academia anda no empenho de ir me dessexualizando...]

* * *

Algo estranho. Um quente. Um peso. Uma presença. Um... Vem-vindo o pré-datado, me detenho e percebo, recém-revém o sessenta-dias... [Estrutura palimpsográfica: argumento; coisa, coisamais; coisa, coisadentro, coisinha; coisa, coisadentro, coisamais, coisamenos; coisona; coisa, coisinha, contrargumento. Argumento... Vai assim que é sucesso...]

* * *

Hmmm. Porra. Agora senti. É. O viscoso da coisa. Que bosta, ein? Vou ter que fazer chuca de novo, não faz mal dobrar a meta...

màrmoresmagado

e sei quando a ansiedade chega
enturmada, morninha
quando começo a cagar mole:

é o café
e o pó, o pó, imagino
que devo confessar me arrepender
do relampejar do blackmirror
carrara na tela do meu celular
com canudo da blunt e Beyoncé
pra poder sonhar um dia que o suor
que suspira o calor da minha pele preta, ou quase
sentida in vis inertiae, seja sempre, in sui generis, linda
do mesmo brilho mogno que o das aias nas telas do Louvre
que daqueles que comem o pão salgado por meu peito
como aqueles que habitam meu peito salgado e sozinho
que dançam no picadeiro o banzo que deveras sinto
do meu corpo
representado
embelezado
interessante
em todos os gêneros, também, com as estátuas de barro
pelo cabelo que caiu de mim por máquinas antes de fruto

na quieta colheita genocida de meus traços ancestrais
pelo furto, pelos fundos sonhos que por isso deixo pra trás
pelo futuro que possui como presente no presente
as oportunidades, as chances, a educação burguesa
(minha, tãobem minha, aqui, desfrutando desse aqui)
espero que se foda e fodendo nossos nasos não esqueça
espero pelo chicote que contrasta com qualquer palma
(mas não na minha, não na minha, não na minha, tu estás)
pelo não raro rubro das flores abertas nas peles da raça
embranquecido mundano delírio, no seu mármore pálido
paro paro paro paro paro paro paro paro paro

eu palo

que as chagas nas suas costas sejam futuras
(ebó pra isso, seu sofrimento, assim, assim)
tendo sido todas as minhas pregas pretéritas
tão retas, tão seguramente sãs e suas
quanto são as minhas linhas nesse prato
(largas são as abas por onde o vício entra em mim)

por um mundo que não chore
essa sua subjetividade sofrida
porque és poeta e porque amas
já que amo e rimo tão ou mais
só que sem comover a plêiade
que tão fácil da Grécia te afaga

eu que paguei essa G

contra tamanha ariana-elegância
(fingida, fodida, falida, me pedindo pra aplicar)
choco com sua onda de padê
contra o claro domínio do falo

aí vem ele com essa fuça de quem lê Fedro de café-da-manhã me conferir a honra de seu brilhantismo privilegioso como um padre Vieira beijando pretinhos pingando direto da pia pra pintura e aí vem ele e o discurso e a oratória de fio-de-navalha-barbeira me cortar e acusar sem discussão ou lugar pra retórica sanguínea dizendo que também embora eu não queira contudo não tente no entanto entenda que não faz meu tipo só que apesar de eu não assumir sou um desses flácidos laboreiros da palavra fedendo a gabinete e afobado de povo e a diferença real entre eu-mesmo e qualquer bolas-brankkas é que o sol não me espanta tanto a pele pela hora do almoço e rir e rir e rir só que aí ele vai vir se fazer de Fédon sobre o frio agonizante do meu corpo no meio-fio quando e não se mas sim quando o status quo quiser dar cabo de mim que sou descartável e sou substituível só mais uma peça nessa burocracia racial aí muitos pêsames e aí luto aí chorare aí vidas-pretas-importam em postagens mil desses mulekkkes que só colam aqui pra tirar uma isso quando vêm isso quando no par dos dias sou só pardo ou muito pouco menos que isso e me daria bem de camareira deles no etnestado que desconfio estarem deslanchando quando nas lanchas e iates dos pais nos findes e aí no fim distopiazinha só dois dedos pior do que é agora tipo pó na cabeceira do quarto rococó da mansão deles e tililim-tim-tim sininho de cetim aí meus pés pra cima

no beiral da cama e a felicidade fluirá por mim a mim via mim
por meio do kinkkkkk profundamente colonial de ser útil

mas, contudo, porém, se porem
confesso, confesso, mamaria
no quanto inda houver de carne
(revistaram meus bolsos e acharam o quente cu da coragem)
entre as outras coisas que faço
quero que o totalitarismo
quero que o fascismo
quero que o canato
quero que o poder cristalizado
quero que o crime organizado
tatue os tribais na minha pele
da mesma crueldade que a sua
por uma vileza que não de vítima
(revisitaram meus versos e acharam sua imunda imagem imã)
por poder não escolher a bondade
da pedra cativa, da espuma no mar
dentre as tantas outras coisas
que também são minhas
dentro do ódio do meu tom
(ou o ódio que eu tinha de mim)
que flui feito seiva
esse corpo marrom (ou quase)
à boca-de-lobo da sede
que é real, justificada

paro paro paro paro

me pego
comparando

nous
nous nous nos (é tudo, tudo, tudo)
nosso nosso (nadanadanada deles)
nos faces belles (como se diz, como ele disse?)
nos faz bellos commo levar pólvora pela tora de la nêga
[ação
ou nos (idos e vindos do palhaço que se faz o pânico que
[sinto)
on-sait-pas (comme le vrai pouvoir opératoire de la
[négation)

e a lucidez de diagnosticar a neurose (e há) não diminui
[em-nada nada

o fato

há o fato

o visto

a ideia quiçá ultrapassada de negritude não precisa de mim
a literatura preta com seus sem-n de expoentes não precisa
a arte que é preta desde que é e desde que somos não precisa
a militância preta toda e suas demandas não precisam de
mim
mas eu preciso

no específico quase frenológico das verificações das cotas

o som preto que sai do cebrutius não precisa de mim
o sacode-arte enquanto pretitude dita não precisa
o sol que demanda sal das peles pretas não precisa
o sax na boca da Alcione não precisa de mim pra chorar
mas eu preciso

tu és?
Éris, tu

patrona sem-graça do despropósito, do desemprego bem-alimentado, vetustamente VASP, essas vespas de listras-estrias indetectáveis quase e de pautas como banheiros e pomadas, de passatempos, de feminil-ou-não-feminil-discussões, é sobre isso?

e sobre nós?

e sobre nós que trampamos em estase ou em descanso pra que não nos devorem pela inutilidade, pela vadiagem prevista por lei,

e sobre nós e a tecnologia-social de resolver qualquer maldita treta que os testa-rosada vêm pingando à beira, clinicando grátis,

e sobre a nossa sede dum caos que não nos consuma primeiro?

e sobre a nossa sede duma morte que não se tinja?

mas aí tenho que comprar no peso dos búzios, no pesado, a coragem de deixar que Èṣù diga por mim que desconfio-forte que só ando contigo porque às vezes me sinto meio ptolemaico perto dos meus amigos retintos, clarinho demais, Carlton do umbigo e é

quando por vezes fui Cesaire, em outras Sartre,
quantos dias cantei a um e gritei com outro
pra pouco depois virar, calar, achar que não valia
brados, bocejos, assovios, tudo o mesmo, tudo pira

saltei, disparo, dispenso escusas

por quantas horas fiquei ao espelho reconstruindo a origem dos cacos do meu vitral, do molho rosé, do mexido, cappuccino, candomblé,

me fiz etnólogo amador dos meus olhos aos meus olhos nas esparsas horas vagas, operando mímicas, quantos não vi?

até Bollywood, ambíguo, vago, alguentre, étnico, spicy, Taylor Lautner, third-wheel sedutora-cativante-e-destruidora-de-casamentos,

a jeba, imensa jeba, desde-menino, de-metro, dos mitos, vergada pra baixo como os impulsos, pulsando plausível,

mas a qualquer polissílabo, senhor de novo, douto, quisto, assexual, assexuado, sabedoria natural, Gaia de gaiato nos meus aros,

mas qualquer distraída, ou qualquer corpo cabendo na roupa, relvisso, promíscuo, a viela de que a brisa desvia, o vão onde a luz não vai,

querem pedaços da minha alma, agora que tenho, agora que teimo em ter, mesmo que mista, querem fazer de banco meu couro, só se diz meio-a-meio, displicência, porque não se sabe quanto de cada, nem de cada qual que se tem, Freyre e Verger vergem pra fragar,

saberemos, até no Camboja câmeras bocejaram suas aperturas pra moleques como fui, acobreados, solares, sebastiãosalgáveis,

é sabido, punhados desses, proveitosos, desprovidos de tudo que lhes tiraram, desvalidos e inválidos encarnando da cor do mundo,

encardidos, seus herdeiros, seus indecisos naturais

me vejo em dúvida (dívida?)
é que me dizem birracial

mas
ouço o
gemido de
francisco:
fogo no circo;
hic niger est
(ao menos aqui dentro, conosco, agora)

mesmo que não queira
espia morte-em-vida
mesmo que o queiram
os brankkkkkkkkk...
entre seus braços
assimilado
(a par par par par)

mas, azar o meu, por um instante
ser menos que sobrenatural ameaça

(cheiro, cheio, um cangote de pedra)
parece que o palhaço viu
queimarem a porra toda
e sorriu, um desgraçado
louco de praça, um puto
metapiada à toa, deep blue
nem gente é, nem coisa mais
proerd né, proerd neles
que pelo septo esquerdo
que pelo alvéolo torrado
sorvemos esse fodendo analgésico
num momento chamado memória
a nos limpar das gengivas meladas
pelo meu sal tragado
pelo seu quisto aquilino
(conquisto pelo menos acesso a isso)
altivamente aliviado
alvamente legalizado
desse rosto alto
que vejo sempre
nos nobres livros
de toda a história
que me ensinaram
pureza na pura
estampando
paranoias

minhas:

sofri encomendado
à parte que parte
pela arte urbana e
autoral de Paulo 13
morta sem crack
(a moral: meu amor é uma vida de abstinência induzida)

tá, ao admitirmos que
(se) somos impotentes
perante nossos vícios
de vidas incontroláveis
só viemos a acreditar:

ontem setenta era um livro
hoje compro um corre, hm
discado e falado por mim
Marquês de Pombal 30
pra Milton Santos, ein

i'm waiting for my man
whey tem whey tem
weiter! weiter! weiter?
romantiza, romantiza
quase quinze minutim
no fio do sol aos dentes
nessa nossa esquina verana

quase observando alguém
já rasga esse plástico, hm
na überlotada bela pia
tipo um neném conosco
trainspotting
temerosos
travadassos
porque acho
que às vezes
agradeço ao Djonga

foscos fios cortam
as rosadas nuvens
no mineiro céu anil

um sol amarela a mim
no couro roxo da terra
(verdes verdes vastos)
por toda ela teto preto
causado pela branca
abrigada em meu carmim

grito circulus
vitiosus deus
a quem que
como fui eu, é
impulsionado
enigmático
pelo desejo

quem, como eu
a longo dedicou
o próprio tempo
ao estudo estrito
do pessimismo
homo-orientado:

quem quis libertar
quem semicristão
me amou de volta?

roubarei sim, agora que sei
e achei que ia beijar, mas era pó
serásse sofri? serásse caí?
mas só sonhei, in der Liebe wozu?

ebó ou haldol, eis a questão
quando cresce a fraqueza da reza
ou quando me padece a cabeça
em pensar pesar em pensar se
me adequar à procissão litúrgica
de me negar ser renegado a sós
não, serásse quando assim-será
quando tãopouco ou quanto ainda
dançar a dança dança-dança dança
ciranda ao som das vozes que de voz
voz nenhuma, nenhures, é só música
porque é típico do fenótipo pulsante

de-costume ser o dócil sempre doce
nas gustativas de quem o mastiga
porque nem toda pernada é paranauê

e ela, a arte, Papaléguas na parede de cânion pra dentro do sólido

e adeus, e já era, rocha, dobrando redonda sob si mesma igual tela de projetor

e eu, Coiote, coió, cioé, colado, socorrendo, de-rabeira, estatelado, real contra a mímese, real contra o marco, materialíssimo, massa contra o rupestre, massa contra a tinta que escorre surrealista, tô de trip, risos de criança de sábado-de--manhã e cereais açucarados, veja, veja-bem, fui enganado pelo ponto-de-fuga

exausto demais minho senhoro
que pensas, pois brinco, não sei
que é que teve o amor comigo
pra entender que qualquer cara
racha e zoa o rabo que eu dei
morrendo de coisas mais a dar
moreninho infecundo eu, percebo
no decurso de minhas paixões
mas é suncê que ousa
por fodida desgraça
óxido de placenta
um ovo estragado
quebrar minha crista
pegando da branca

na bunda da mão
vir aqui dizer que:
gostar
talvez é
simples

e eu aqui
penso sozinho
que sua onda de raio
deve ser muito massa
só não me vi representado
não se gostar é que é foda demais
e aceitar toda essa merda
dos cartões-postais e dos
comerciais de margarina
desse papinho de federal
nas porras que eu não quis ler
nas porras que escrevemos
das porras que esqueci

certeza que esse édipo era preto, ou quase
(ao contrário do que disse o Fanon)
pau no cu de estudos clássicos

vasilha de Baco esvaziada à borra, bis
outros e outros, outros d'ocês
nem The Carters nem Harrold Carter
mais pra Thonet No.19 'Angel Chair'
enquanto ele vasculhava

[...] ser pardo é estar fadado a conviver e comungar com integracionistas porque nascer pardo é existir enquanto símbolo da miscigenação, cê tem que se defender em público de uma acusação velada, se retificar de ser a exceção que confirma a regra, positivando o racismo-mesmo que te coloca nessa situação, retificando. O bacana é que, mesmo sendo esperto o suficiente pra não ser cooptado pela supremacia-branca [e é sobre esperteza, nem tanto sobre moral, é sobre ser sagaz], mesmo sendo a ligeireza em pés-de-vento, hora ou outra cê vai ser catapultado de volta a esse sitiado, como um corpo carregando peste. Os indisfarçáveis tão tão-traumatizados de nós como estamos todos aos que, de claros, mais claros que eles só o linho. Sobre o linho: era de Kemet, depois na Grécia. Acidentalmente. Coincidência. E é desde aí. Ou não, talvez. Fico postergando leitura, a essa altura saberia. Nas engrenagens, no alto da tensão, a palavra que abre fogo é: afrobege. Dos criadores de reitinto vem aí: lighsking [...]

[...] aí cê sorri e cê assovia. Cê se põe solícito aos espasmos de medo e finge que a velha chocando a bolsa na suvaqueira-quente duma tarde de sol no dia que cê resolve sair de casa pra pegar busão sem se arrumar é sua vozinha que não tem nada contra preto, ou contra os que são-quase, só não gosta [item indispensável nas famílias birraciais], aí cê lembra da sua boa-vozinha [branca, em algumas famílias birraciais] que te amava e da qual cê era o neto favorito, aliás, como sempre somos os netos favoritos de todos nossos avós racistas, e tem a trip de imaginar caras iguais ocê que tiveram que passar pela mesmíssima coisa, com ela, a vovozinha, em público. Qualquer solução que cê arranjar internamente pra essa incongruência é uma traição que vai te transformar e assombrar pra sempre. Qualquer risco é um corte e cê que seja ligeiro em saber os seus vitais. Cê se põe solícito aos espasmos do seu próprio medo quando de repente repara que alguns dos estereótipos encontraram uma maneira de se alojarem dentro d'ocê e que cê tá forçando algumas coisas, que cê se percebe sendo a sanha, por pirraça, que cê se percebe sendo, de propósito, os conotativos de depreciação. Te chamam na rua pelas onomatopeias de tiro. Então é isso. Cê tá arrastando o Movimento. Meu, cê tá pagano de gangsta. É sério? Na-moralzinha? É tiração, só-pode, porque [...]

[...] ou reparar que cê tá sendo crítico demais consigo mesmo. Nuances. Muito do lance do tragic-mulatto é não perceber o que é externalização do desejo e o que é internalização do real. Cê não tá pagano de nada. Cê não compra nada. Cê não tem banca nem pra pegar emprestado. Se cê bater-pavão te pegam. Cê não age. Eles aceitarão a melanina nas múmias antes d'ocê aceitar a sua n'ocê, que é óbvia e é vista. Cê não é indisfarçável, isso é coisa que não te deixam esquecer, mas não é branco também, isso é sua responsabilidade não esquecer. Te-cuida, neguim. Senão retinto, retido. É te verem. Esse conteúdo abstracional é dissociação, é separamento. É pensamento desejoso, é ocê quando tinha dez anos e queria chamar Gabriel e ter olhos azuis e... Cê tá de máscara, cê tá na-nave e o pior [...]

[...] ou se pegar na noia de que na-verdade não, pelo contrário, tem coisa que cê não consegue alcançar, é até respeitoso que não alcance, há um 'eu' melhor do que cê é agora pra além de onde a supremacia-branca te deixa ser, mas esse 'eu' não é Afrika, não de-todo. Existe um 'você' que não pode se articular entre as coisas sem ser sincretismo ou retorno-à-origem, que são das coisas mais coloniais, depois da bondade. Cê é um cão acuado. Cê é a fera que rosna acuada. Cê não pode sequer ser hotep. Cê não é o sonho dos seus ancestrais [e quais desses seriam? Quais desses me deixo sonhar que sonhem em mim algo que lhes seja?], o que cê é a eles é só mais um domingo atarde, um pensamento intruso, uma vacilação na esperança por um futuro melhor [um G inteiro de pó numa sentada num dia de-semana, pelamor, é isso que cê anda fazendo da sua vida], um momento humano de desespero e descrença na luta que travavam: um domingo [o que é um pouco melhor, mas ainda assim] à tarde cê se esquece que ficar pagando de tragic-mulatto já passou e é antirrevolucionário. Aí sim. Tá que é sua trip, tá que é seu 'lugar' de trauma racial. E que, sendo isso, cê tá sendo o pior que podia acontecer pra eles naquela época. Porque, sendo a ruminação persecutória e destrutiva dos que vieram antes d'ocê e fizeram o futuro em que vivemos, cê é aliviado da mente dos seus ancestrais, cê é expulso de ser um pensamento em potencial por tecnologias psicológicas e de autocuidado que, pela qualidade de serem boas e ancestrais, cê desconhece. Faz parte desse 'lugar' desconhecer. Os de kilumbu, por serem entre si, certos eles, te excluem. Cê não é o sonho dos seus ancestrais [quais?], mas as neblinas de ansiedade contra as quais eles tiveram que respirar fundo pra se desnevoar. E desnevoaram. Cê é a badtrip de quem teve que espalhar as tripas pr'ocê estar aqui, não que eles particularmente quisessem que cê tivesse. A trip de que eles tiveram que se livrar pra fazer alguma coisa que contribuísse, ao contrário d'ocê, que não contribui. É melhor que eles tenham te esquecido, cê acha, cê milita pra-que-sim. Sua militância é feita duma violência voltada pra dentro. Melhor seria se eles sequer tivessem te imaginado. Magina? O que é isso? Que desgraça de pulsão suicida é essa? O ciclo se fecha novamente no genocídio, que cê justifica dentro d'ocê enquanto morrem pedaços de ti a cada vez que cê se deixa convencer de que contribuir é uma habilidade nata que foi diluída n'ocê. Sim, é uma desculpa. Cê acorda pra possibilidade de fazer alguma coisa, então. Cê acorda de-novo pro óbvio de que cê é negro apesar do violento de esticar essa definição, porque o real foi a maior violência de todas, por isso *faz sentido*. Cê é uma cena fantasiada que só foi possível no pior de todos os cenários, que era o único cenário que se tinha e que ainda é o único cenário que se tem [...]

[...] ou cê é o orientalismo-rotineiro da busca por sua origem mansa, que valoriza mais que tudo a vida, tudo que é anti-Afaraka é anti-vida, lembra? Só que cê tá autossabotando todas suas chances de organização política e sabotando as poucas organizações que botam fé naquilo que cê é capaz de ser. Nessa aí cê tá fechando janela pra aguar suas plantas de vaso e só isso e pra sempre. Aí cê entra nessa de 'Ẹ̀ṣù me dixave de ser o único nesses espaços de novo na minha vida', quando, pelo excedente, pelo excelente, pelo erudito, pela curtição do claustro, aparece um *deles* pra te endeusar. Quando na universidade. Pra abrirem bolsa de mestrado e cê, de novo, na universidade. Sendo. Cê, de novo, o primeiro e o último e a vontade devassa de se-morrer quando cê percebe o papel que tá fazendo. Como já disse bem-dito a Estamira 'papel aceita até levar no banheiro, papel é indefeso, eu ein'. Ou assim eu lembro. Valorizar sua vida em si enquanto pulso e direito à terra, despolitizada, foi o que te trouxe aqui e é o que vai te dar diploma. Porque cê nasceu aqui, foi trazido a isso, seu negreiro foi de cedro, de pinus, tauari, pau-marfim. Porque cê nasceu na ascensão despolitizada enquanto potência-brancura. Porque cê nasceu agora e politicar sua existência se manifesta como a kujinga do seu próprio fim. Uma que tem-que-ser. Porque cê tá eternamente longe daquilo que cê pensa que virá a ser após todas as segundas-à-noite nas suas aulas de kiswahili ou umbundo ou kikongo, ou algo assim bantu. Cê quer falar, cê quer falar e ser ouvido. Ou iorubá, que é até mais difícil. Mandem o resultado do meu exame de DNA numa das línguas-mães, quem-sabe assim disfarça o baixo dos números. E que a língua não é sua culpa, tu não tens dividendos ou querelas com kireno nenhum. O colonialismo não é sua culpa. Os líbios, os macedônios, os gregos, os romanos, os árabes, os portugueses, os americanos, os chineses agora, quem sabe. E se for sua a culpa, se tiver que ser, é só meia. O que tiver que ser, no máximo é se for ao meio. Qualquer coisa. Isso te isenta. Isso te flutua. Isso cumpre a profecia de quem não te leva a sério. Mas até agora cê só citou branco. Ironia, eu sei. Mas cê só citou branco. Tá zoando com eles, eu sei. Mas mesmo assim, se [...]

[...] e fosse-cê branco, cê seria. Certo? Porque muleke, quando é pra ser, é. Quando muleke cê tenta ser, tudo-de-pior vem justamente disso. Fosse-cê caucasiano, outra história, não? Levantando hipóteses. Nada disso emerge desse estéril, não há planta que de tão-delicada nasça nesse entrerrejunte. Não, nem em todo lixão [...]

[...] Diop. Afua. Asante. Garvey. Kerenga. Fu Ki Au. Ture. Angelou. Fanon. Gonzales. Bairros. Conceição Evaristo. Conceição Lima. Lima Barreto. Baldwin. X. Morrison. Soyinka. Lins. Assim é listagem. Assim é carteirada. Vai comprar deles o romance-enciclopédico? Essa é a sua linguagem sendo sinal. Mas é ainda na negação daqueles outros que cê tira seu fio. Os dentes só são afiados quando a língua é deles. Se o ocidente cair pela sua mão, que te importa? Fosse-cê branco [...]

[...] então, em crise, cê paga de doido igual naquele conto do Geovani Martins e de duas uma, ou eles acreditam ou não. Se sim, ótimo, uma onda, um certo certificado de marginalidade estética, de pertencimento, de periculosidade putativa, a confirmação de que o racismo existe pr'ocê como uma espécie de promessa de revidação violenta a quem no fundo cê se sente como sendo. E cê reivindica esse lugar. Porque têm certas coisas que os falsos-cotistas netos de Donana-oitavona não podem fazer, aparecer num Balanço Geral é uma delas. É no paredão que se sabe. E se sabe-se, se. Se souber, saiba bem. Cê reivindica esse pertencimento. Então, em crise, cê paga oitenta conto numa coisa que se for cerol nem é da chilena, cê espera no sol um cara nos mesmos tons e subtons que os seus te cumprimentar como se te conhecesse e entre os apertos o pacote e as notas, coisa que se for cerol eles é que deviam te pagar pelo poste, de tão ruim, de tão rasgado que é tragar pra dentro, e ver esse cara arrancar pra mais um corre e mais um corre e nisso perceber que, de fato, cês se conhecem, cês pra-sempre se conheceram, não é pra todo noia que ele abre o sorriso que abriu contigo e não é pra qualquer trafica que cê abre o seu, há uma cumplicidade, há-de haver, é implícito, é gatilho de ansiedade, hão-sei-lá-mais-quantas-gramas-de-grão-na-mesa-aqui-que-eu-vou-peneirar-essa-farinha-e-botar-num-pratinho-quente-pra-poder-passar-o-resto-da-tarde, porque tranquilizante de cavalo já não te acalma mais. Key era pra quando cê era boy, cê não é mais. Se vierem te barrar na negritude, agora, cê só 'amoh, negah', como sempre. 'Precisando, só chamar' cê fala. Acabam chamando, isso que é engraçado, porque de fato há. Se cê precisasse de pertencimento pra viver já era hora de te tirar do buraco pra pôr na gaveta, então tá trankz. Ficam pra depois suas duas ou três pérolas no trancado da mandíbula sobre como o racismo destruiu seu psicológico e cê sabe no fundo que o cara da moto ia raxar-os-bico se tivesse aqui. Mas não tá. Quem tá, bem… Não-pega-bem chamar o contato pra ser seu amigo-u-buntu e sentar aqui e cheirar contigo. Depender de droga é colar com boy, muitas vezes, infelizmente. E se não acreditam, se eles não te compram a posturagem, mal, psicologicamente-mal. Montam em cima, vai-vendo. Eles não te acham perigoso, osso. É bom pra vida e pra sorte, mas pra mente nem tanto, pra uma tarde rachando de quente, é o preço. Porque talvez cê não seja de Sol. Porque talvez cê seja branco. E isso é foda. A verdade é que ninguém sabe o que fazer com isso, ser branco. Não que eu saiba [...]

ah
mas não fosse a branca
não fosse a ansiedade
a sudorese pesada
da pressão baixa
e a grande moleza
que depõe cagada

não ode V

é lá, língua, hei-la-ho, zum Henker, língua, yahoo, eia, rede halten, sint'a língua, o boyaboy, eis-la lingua, linda, inda-que, ens-há língu'ainda, des que hominum-est está, Deus-de-dentro da graça feminil e finda dos pederastas, eita, hella hoopsa-ho, ave que verb'abemus, qu'estou de benquerenç'a quitar-te ar da boca colhend'a língua, no qu'el'és tua, tu, eu, em trino criptomistério, donde marítimo d'ode, onde praieir'os cânticos encontr'olhar não mo content'em verouvir, o nom'em sufoco d'ondas de sal sem mar, que quebrad'e lúcid'e são, quedo-m'em querer-te, rega-me, ria de miragem, acalcanhado no copo do vício, do pulmã'o vício, na gargant'o vício, n'afag'o vício, pra língu'o viço de cogita felação, ontem dur'e dentro de vibro-dedos até qu'o'lívi'em densas lágrimas acabou meland'a pele, amolecendo sobr'o'stômag'o'stilete bege d'ibisco qu'é meu carrasco, miçangas líquidas, derretido suco ligand'os dedos e les œufs de sindactilia, sem boca de gêiser agrissalgado nasc'e morre virg'o dia, provand'o sumo quente despont'a língu'em nácar de manhã de flor'estampadas coroas no cabelo, despert'a língua com'o carpet'em templorum-nostra, limpampés fumaças dosseus cigarros, lav'a fachada da língu'a brum'espuma do chopp, eo sorriso craquel'os lábios da tchola bobinh'eos pornôs eo doce, confessaria no qu'ele lamb'o copo por dentr'em condição, o snooker teatr'oficina da minha derrota, o snooker ea família tradicional nem mais qu'ereção patriarcal nos limiares da minha barba, sou cabra, eo snooker eos flashes retos de sua retin'ávida, pelo menos penso, pensava, eos pornôs ea bala, madruga minh'imagem de nós em não mais que meu mole pau meland'as coxas no colchão, queimando seda na sétima senda do nirvana, cê pensand'em bucetas, ou num bong--maçã, ou-não, queixando-se-da, nasc'íntim'a crític'à burguesia qu'ecoa nas paredes do CA, e viv'aqui com'a-ti-te-vi, martiri-satiri, num só fic'ufop-mariana, da necessidade de sonhar algo qu'em editais, que sempr'ess'olhar projet'em mim fábul'ou qqch ou qqn qu'em verdad'eu queria que quisess'ou que fosse, densificari'el-air'eo tempo, ficaríamos solos matand'a sed'em sua saliva, ficaríamos em berç'esplêndido ness'etern'espreguiçar, ficaríamos sentados nas ruas mareadas-madrugueiras enquant'eu se lingu'ouvesse confessari'à luz do céu profundo, nos seus movimentos sociais ond'em cantadas e fodas portast'avanti la lotta di classe, ereção como lanç'e'spada contr'o capital, nos vinh'e pecad'e feriados d'antiguo sennorio di catholica bonitas Dei, lend'a bíbli'às quintas, vetustas vielas barrocas, pedind'um parco perdão, roubari'eu sua fertilidade qu'é maldiçã'umana, minha gargant'o cemitéri'umid'impedind'a transmissão do legado-de, confess'o frio na barriga quand'a miséri'em idei'avanç'em mim, quand'imagin'o quanto goz'as chonas qu'arrast'os ombros sob, eu Chronos nas noites qu'aliment'a minha sed'a metade dos meus filhos em visco-Lete leit'empoçad'em me'umbigo, eu na secura d'uma seiva qu'é desperdiçada por voc'em cuec'azulejos e meias e batons d'Avon, c'est le pigeon, José, voc'est'ave que zomba dos outros sem-nomes com'a si, entre mulheres tá, em discursos tá, em carinhos, eu que beb'e fum'e cuspo na noite fri'e densa qu'envolv'os corpos c'a mesma cois'em que glidam Palomas medrando queda n'ocaso, chafurdando no vento com'eu n'ilusão das possibilidades e com'eu chafundand'em conhaqu'em copos de plástico, pingas e garrafas de Glacial, diarreias, nos nebulímetros d'infância, no contraste d'unhas pretas no reflexo do maçarico queimand'erva na maçã, lucubração pulsando pow-pow-pussies, ea manhã n'ascenderes ao regresso, eo pornô eas ritas, estaríamos com'estivemos, calad'em frente ao banheiro do snooker, se cê tá na fil'é cê que pergunta, não, par'e reconheço, não mais, eo barulho qu'emitiu, tudo tão-longe no momento que se parte, tudo tão mais qu'alheio, eo mund'é, o mund'é, o mund'é, o Brasil na comida requentada, num'esquecida comanda de bar, numa vint'e-cinc'a sessenta golpinhos, quanto temp'atrás, nos quartinhos nas línguas secas e surradas, do pai pendurad'ao celular, dos bares daqui, do qu'é bem merd'e bom também, já que decidimos conosco, o mund'é porre, o mund'é porra mas nós aqui, separados, eu, aqui, projetand'em ti velhas lutas minhas, projet'em ti vontade delirant'e salivant'e mais nada, nas quedas dos sentidos eu mint'as verdades, nas merdarias metafísicas eu sinto, h'um mund'ond'o nada se proteg'e proíb'e arrast'a ti nas minhas necessidades mais íntimas, mesmo cê não sabend'o meu nome, e depois sabend'e mais nada, mesmo depois de guardad'a pérola do nosso desconfort'encontrado, seu sorris'e sumiços agarrand'em mim com'aquela saia cinz'emprestada, enquant'empoeirand'em inertes dedos virava sop'a minha cerveja, viv'aind'o tesão num tern'eu já podr'em cogumelos, mais uma vez undernièr'esperanç'em pulsões-vontad'e qu'apesar de tud'e tud'és belo, por extremo, send'iss'o que realment'importa, ch'é héter'e sou teu quasímodo, ch'amare significar per verba non si poria, ou muito quase, eas tant'istórias qu'ouvi d'omens com'a ti que cederam e cederiam ao prazer narcísico, posso jurar que seri'exangue, seri'eu com'azeviche choque d'uretr'a su'alma, e tud'isso já dito, com'ecoa pelos préd'istóricos e pelos vãos e rabos do mundo tal disperdíci'ôntico, mais que tudo, mais qu'a proxima guerra, mais qu'o sofrimento somado, amado, sumindo, mais qu'a fome que folgosa me persegue, mereç'a exclamação, as odes de pobres-poetas teu prazer eternizad'em nossa putativa transa, infernizam bandeirantes unhas suas desbravand'o meu cour'e cachos eo sentir fantasma dos cílios meus na sua virilha, maledet'éa entidade qu'escolh'o formato dos seus e meus desejos desencaixados, confesso qu'o que Deus fez até hoj'e faz por ti fari'eu daqu'em diante qu'estou cá niss'e disponível e mais novo, que sou mais quente, que t'espero sentad'e sofrend'às sextas, no que diz o ditado, eu c'o meu suor lubrificand'o meu atrito c'o mundo, o breu com'alimento d'olhos que desbrilham, eu brincando sozinh'além de literatura vazia, além dos furtos de frases, Portugal que sa foda, talvez t'escreva, a vida n'é mais que roman à clef, n'é mais que m'encher de art'e'xpressão em tod'espaço que se preench'em vazi'e continua vazi'e m'esvazia de coisas por dizer, calado pela vontade tua de falar comigo, nós no snooker, mas não sós, ou nem, em qu'achei que morreria, qu'achei qu'o vício morreri'e não morreu, qu'achei qu'ausência morreria, com os sentid'e verdades natimortos quand'enfim confessei, que rendeu-m'a resistência de Stalingrad'agora que descubro que frequent'a Bíblia, que rendeu-m'o decorar do mais grosso do poeta glaucomado descobrind'o tão comum em sua narrativa, a sua, boy, d'emprestado d'ensaista suicid'a semelhança, do cineasta pedant'a minh'ereção culposa, d'ator porn'o pau que se-me puls'em sonhos, que me resta d'amizade cativad'um ano sobr'a forç'e'nergi'e caritas que não-mais tenho já qu'agor'o cansaç'estirpou-m'a politropia, agora qu'é pela segunda vez que me negam bolsa-monitoria, log'agora que tud'o que fiz foi baixa-literatura de baixo-ventre t'esperando com'o prêmio, agora qu'o tudo que vi me diz qu'é enrustid'e no fim nem te quero mais, te vejo roto nas ruas embaçado com'as vitrines do meu sono, mais est-là la langue, qu'exist'apartada d'ilusão de que falava comigo na sala d'estudos da biblioteca, talvez m'olhando como achei qu'olhava, talvez faland'o qu'achei que tava, que fumava comigo numa festa só qu'ausente, mas fumou depois, com'escrito foi, estaland'a realidade recém-feit'e transcrita do sulfite pra seda, quand'achei qu'aussi cê senti'o qu'eu sentia, fez-se, quand'às portas da fest'abençoei-te da moral cristã por todo passad'e futuro da sua mediocridade sedutor'e qu'agora mora tal herdad'em ti tod'o legad'ocidental, enquanto cont'aos dedos com quantos atos se desenrol'a tragédia dos meus dias, conquanto te falam a mim cois'orríveis, meu, m'ajuda, preciso desesperad'e concis'e precisamente desculpar-me por ser tão bom, por ser agor'o gênio que sabia que seria, num elogi'o'legia, precis'é'star tão sujo quant'a língua qu'arremess'ao tempo por não ser minha, merecer o miojo que com'e degust'áugure d'alimentícia pensão que mendigo, não m'entenda mal, não m'entenda bem, finja, fuja de si, me foda, só não peço por-favorzinho, sei lá, é tão pouco, et tu, Bacchus, lera t'às quintas-feiras, quid est veritas, o que é, o qu'há contig'a quem coube construir tão molement'incoesa jornada d'herói, s'as suas afflicções sã'as da carn'e do sangue, se são pensamentos da terra como desgraçadamente vejo que são, quem és e sou na névoa de língu'às meias conversas que tivemos, e se, s'eu pudesse por clemência te convencer, precisaria dizer seu nome, pra nadar tant'e morrer na borrachinha do seu paiero, pra perguntar teri'eu que te fazer carne pela verborreia, veja, só sei que mesmo morand'em mim nã'o conheço, relend'os meus textos sobre, primeir'e depois d'abrir suas fotos, e sofriment'algum, já que mui corteza me foi dad'a natureza, e'speranç'alguma me obrigari'a sequer usar a língua, existent'em potência, pra perguntar, t'arrancar qualquer mentir'ou verdade que palavr'e m'agarrar nisso com'um rastro de vapor de preguiça que mostrari'a saída do samsara de seus olhos despejados e doces, sussurrand'um sim que reconheç'enquant'em volt'a realidad'em sons de carros redizem que não, me diga não também e não m'ofereça mais seu sorriso salobro, ess'óleo suav'e salgado do seu suor de macho, Cristos phero, liberavit me, que sei não poder recusar embor'eu pareça, ea sed'é muit'e não sai da língua lavando pra dentr'ou lavrando pra fora, meu desejo com'os restos de carne entr'um dent'ea gengiva, mas no fim só queri'um moment'agora qu'o sol nasce conosco no bar, no côncavo da sua mão na coxa dela, enquanto me mand'embora com o Romeuzinho, ele por sua vez desprezado por mim, ele por sua vez apaixonado por mim, maldita quadrilha, houvemos d'amanhecer, me perco, tinge-s'o mundo d'antemanhã quand'ainda sofr'amansadament'a'xtrema hybris de querer-t'o colo, pra calar minha boca com sua pele, ou as d'outros tão bons quant'embor'eu negue, tã'improváveis, pra fumarmos na trans'o tempo perdido, mas pastorei'ovelhas famintas pel'árcade vista rasa de seus já sóbrios lábios, qu'ordenam adeus, és tu, Aurora, vejo-te nua por detrás, a rua me limp'embora suja, nuvens rosa d'algodão n'orizonte nascendo da forç'e maciez do meu cabelo, mãos sobreviventes s'enlaçam, mas volto sozinho, sempre volt'entre Ventre e Duda Brack, fumand'em casa, revivend'as noites como nomes marcados na parede, não consigo falar nem lembrar do que falei, bolo mal, acendend'um na cama, pens'em ir na feira, no fim vou, compr'uma flor e prendo num cacho, a garapa desce por uma garganta que não se conhece, lembro do mijo nas calças dos caras se esfregando de cheirados, d'um tud'acontecendo na calçada, lembro d'ocê me cumprimentando de longe pra m'ignorar do seu lado, lembro de conversar sem entender em que linguagem, lembro de t'evitar, nada longe d'orçamento, nada menos que previ, dormi, só depois das quinz'é que, sem-querer, se tem mais um aceso tem mais três, saindo de novo lá pra meia noite, graças ao deus--do-desuso que graciosamente confeitei sem par, eu nem te vi, nem te frago mais

■ primeira edição
■ setembro de 2022